はじめに

　日本には高速でかけぬける新幹線や、都市と都市を結ぶカラフルでかっこいい特急列車があります。また都会でたくさんの乗客を運ぶ通勤列車やローカル線を走る普通列車にも、みなさんの知らないところで最新の技術が使われています。このように全国には数多くの列車や車両が走っており、わが国はまさに鉄道王国です。

　ボクはそのような個性的な列車や車両をもっともっとみなさんに知ってもらおうと思い、この本をつくりました。そしてその車両のデータや特ちょうだけでなく、どのような意味があって登場したのか、どうしてこんな色や形になったのかということもふくめ、その車両がもつ秘密をありのまま書きました。

　もしみなさんがこの本にのっている列車や車両に出会ったら、書かれていたことを思い出しながらじっくりとながめてみてください。きっと今までとちがう新鮮な気持ちで見ることができるでしょう。そうしてさらに鉄道に興味と関心を持ってもらえることを願っています。

鉄道写真家　山﨑友也

この本の見方

❶鉄道会社　その鉄道を所有している鉄道会社を表します。
❷列車名　その列車の呼ぶときの愛称や形式を表します。
❸鉄道パラメーター　最高時速・走行距離・座席数や、車両のめずらしさ、座席のぜいたく度を表します。丸が多いほどレア度やぜいたく度が高いです。
❹鉄道データ　走る区間や地域、動力や両数のほか、列車のおもしろ・ざんねんポイントも紹介します。

もくじ

なんでも鉄道Q&A ……………… 8
用語解説 …………………………… 12
車両のしくみと種類 ……………… 34
鉄道なんでもランキング ………… 76
鉄道マンガ
　㊙書類をとりかえせ！ ………… 122
運転席をのぞいてみよう ………… 162
オモシロ駅舎大集合！ …………… 196
これが鉄道の仕事だ！ …………… 242
知っておきたい鉄道豆知識 ……… 254

第1章 新幹線 ⑬

はやぶさ（H5系） …………… 14
かがやき ……………………… 16
こまち ………………………… 18
はやぶさ（E5系） …………… 19
Maxとき ……………………… 20
つばさ ………………………… 21
やまびこ ……………………… 22
East i ………………………… 23
のぞみ ………………………… 24
こだま（700系） ……………… 26
ひかり ………………………… 27
みずほ ………………………… 28
こだま（500系） ……………… 30
つばめ ………………………… 31
ドクターイエロー …………… 32

第2章 特急列車 ㊴

宗谷 …………………………… 40
オホーツク …………………… 41
カムイ ………………………… 42
ライラック …………………… 43
スーパーおおぞら …………… 44
スーパーとかち ……………… 45
すずらん ……………………… 46
スーパー北斗 ………………… 47
つがる ………………………… 48
いなほ ………………………… 49
ひたち ………………………… 50
きぬがわ ……………………… 51
スワローあかぎ ……………… 52
成田エクスプレス …………… 53
さざなみ ……………………… 54

列車名	ページ
しおさい	55
スーパービュー踊り子	56
スーパーあずさ	58
かいじ	59
スカイライナー	60
リバティけごん	61
きぬ	62
スーパーはこね	64
メトロはこね	66
ちちぶ	67
(ワイドビュー)しなの	68
(ワイドビュー)ふじかわ	69
(ワイドビュー)ひだ	70
フジサン特急	71
スノーモンキー	72
ミュースカイ	73
パノラマsuper	74
アルプスエキスプレス	75
サンダーバード	82
しらさぎ	83
くろしお	84
はるか	86
まいづる	87
こうのとり	88
はまかぜ	89
しまかぜ	90
伊勢志摩ライナー	92
アーバンライナー・ネクスト	93
ビスタEX	94
さくらライナー	95
ラピート	96
こうや	97
サザン・プレミアム	98
スーパーはくと	99
やくも	100
スーパーまつかぜ	101
サンライズ瀬戸・出雲	102
しおかぜ	104
うずしお	105
剣山	106
南風	108
かもめ	109
ソニック	110
ハウステンボス	112
有明	113
にちりんシーガイア	114
ゆふいんの森	115
あそぼーい!	116
はやとの風	118
A列車で行こう	119
いさぶろう・しんぺい	120
指宿のたまて箱	121

第3章 ジョイフルトレイン 129

- TRAIN SUITE 四季島 …… 130
- TWILIGHT EXPRESS 瑞風 …… 132
- ななつ星 in 九州 …… 134
- 富良野・美瑛ノロッコ号 …… 135
- とれいゆ つばさ …… 136
- GENBI SHINKANSEN(現美新幹線) … 138
- ストーブ列車 …… 139
- リゾートしらかみ …… 140
- POKÉMON with YOU トレイン … 142
- なごみ(和) …… 143
- HIGH RAIL 1375 …… 144
- 富士山ビュー特急 …… 145
- レトラム …… 146
- 井川線 …… 147
- ひえい …… 148
- 青の交響曲 …… 149
- めでたいでんしゃ …… 150
- 瀬戸大橋アンパンマントロッコ … 151
- 坊っちゃん列車 …… 152
- 潮風号 …… 153
- 或る列車 …… 154
- おれんじ食堂 …… 155
- SL銀河 …… 156
- SLみなかみ …… 157
- 大樹 …… 158
- きかんしゃトーマス号 …… 159
- やまぐち …… 160
- SL人吉 …… 161

第4章 普通列車 165

- 733系(JR北海道) …… 166
- 731系(JR北海道) …… 167
- H100形(JR北海道) …… 168
- キハ54形(JR北海道) …… 169
- 701系(JR東日本) …… 170
- HB-E210系(JR東日本) …… 171
- キハ110系(JR東日本) …… 172
- キハ40系(JR東日本) …… 173
- 36-700形(三陸鉄道) …… 174
- YR-880形(山形鉄道) …… 175
- 1000系(福島交通) …… 176
- 9000形(札幌市交通局) …… 177
- 2000系(仙台市交通局) …… 178
- E235系(JR東日本) …… 179
- E233系(JR東日本) …… 180
- E501系(JR東日本) …… 182
- 215系(JR東日本) …… 183
- EV-E301系(JR東日本) …… 184
- 70000系(東武鉄道) …… 185
- 40000系(西武鉄道) …… 186

5000系(京王電鉄) ……………… 188	キハ120系(JR西日本) ………… 226
20000系(相模鉄道) ……………… 189	5000系(JR四国) ………………… 227
3100形(箱根登山鉄道) ………… 190	7200系(JR四国) ………………… 228
デハ100形(上毛電鉄) …………… 191	1500型(JR四国) ………………… 229
9000形(東京都交通局) ………… 192	キハ32形(JR四国) ……………… 230
1000系(東京メトロ) …………… 193	9640形(土佐くろしお鉄道) …… 232
12-600形(東京都交通局) ……… 194	5100形(広島電鉄) ……………… 233
3000V形(横浜市交通局) ……… 195	BEC819系(JR九州) …………… 234
キハE200形(JR東日本) ………… 202	817系(JR九州) ………………… 235
313系(JR東海) ………………… 203	305系(JR九州) ………………… 236
キハ25形(JR東海) ……………… 204	キハ200系(JR九州) …………… 237
415系(JR西日本) ……………… 205	9000形(西日本鉄道) …………… 238
5000系(富士急行) ……………… 206	160形(長崎電気軌道) ………… 239
2100系(伊豆急行) ……………… 207	01形(熊本電気鉄道) …………… 240
5000系(名古屋鉄道) …………… 208	3000系(福岡市交通局) ………… 241
HK100形(北越急行) …………… 209	
新260系(四日市あすなろう鉄道) … 210	**第5章 その他の列車** 245
100形(愛知高速交通) …………… 211	
N1000形(名古屋市交通局) …… 212	M250系 …………………………… 246
323系(JR西日本) ……………… 213	EF210形/DF200形 …………… 247
225系(JR西日本) ……………… 214	L0系 ……………………………… 248
1300系(阪急電鉄) ……………… 215	1000形 …………………………… 250
8000系(京阪電鉄) ……………… 216	7300系 …………………………… 251
5820系(近畿日本鉄道) ………… 217	中央アルプス駒ヶ岳ロープウェイ/
2270系(和歌山電鐵) …………… 218	生駒ケーブル …………………… 252
5700系(阪神電鉄) ……………… 220	マルチプルタイタンパー/キヤ143形 … 253
30000系(大阪メトロ) …………… 221	
5000形(神戸市交通局) ………… 222	
227系(JR西日本) ……………… 223	
115系(JR西日本) ……………… 224	
123系(JR西日本) ……………… 225	

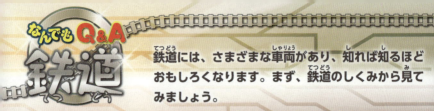

なんでもQ&A 鉄道

鉄道には、さまざまな車両があり、知れば知るほどおもしろくなります。まず、鉄道のしくみから見てみましょう。

Q 鉄道ってなに?

レール
列車を走らせるためにしかれた、車輪をささえる細長い鉄

道床・路盤
道床は、バラストとよばれる岩石をくだいた石をしきつめたもの。路盤は道床の下の土台

枕木
レールを固定し、線路のはばをたもつもの。木やコンクリートなどが使われている

バラスト軌道

線路を利用した交通機関

鉄 のレールの上に列車を走らせ、人や荷物を運ぶ交通機関のことです。「鉄道」は、まさに「鉄の道」。ただし、広い意味では、モノレールや新交通システム、ケーブルカー、ロープウェイなども鉄道の仲間です。

「鉄道」で、もっとも一般的な線路は「バラスト軌道」で、レールと路盤、道床、枕木からできています。また、レールの左右のはばのことを「軌間」といい、日本ではおもに4種類が使われています。新幹線などの1435mmの軌間は、世界でもっとも広く使われている「標準軌」です。

50kgのレールの断面

レールの上の部分は、車輪とふれてすりへるので、厚くつくられている。

スラブ軌道

スラブ

コンクリートの板(スラブ)を並べてレールをつけたもの。新幹線で使われることが多い。

コンクリート直結軌道

コンクリートの路盤に直接レールをつけたもの。地盤がかたい区間で使われる。

◆軌間

762mm

黒部峡谷鉄道
三岐鉄道(北勢線)
四日市あすなろう鉄道

1067mm 日本でもっとも多い

JR在来線
名古屋鉄道
東武鉄道
西武鉄道
南海電気鉄道など

1372mm

函館市企業局
京王電鉄(井の頭線以外)
東京都交通局(新宿線)
東京都交通局(荒川線)
など

1435mm 標準軌

新幹線
京成電鉄
阪急電鉄
近畿日本鉄道の一部
など

9

Q 「E7系」と「かがやき」、名前はふたつあるの?

「E7系」は形式名で、「かがやき」は愛称だよ。EはEast(東)の頭文字だ。

E7系　かがやき

A 名前には、形式名と愛称がある

新 幹線の「E7系」「N700系」などは車両の形式名で、「かがやき」「みずほ」などは、列車の愛称です。どの車両にも形式名はつきますが、愛称のつく列車はかぎられています。愛称は、走る区間や停車駅などによって変わり、E7系には「かがやき」「はくたか」「つるぎ」「あさま」があります。

形式名は、鉄道会社によって変わります。同じ「かがやき」でも、ＪＲ東日本がつくった車両は「E7系」、ＪＲ西日本がつくった車両は「Ｗ7系」となります。

また、小田急電鉄の「ロマンスカー」と呼ばれる特急列車には、列車の愛称のほかに、「GSE」などの車両の愛称もつけられています。

N700系 みずほ

ＧＳＥ 70000形 スーパーはこね

◆日本の鉄道会社

日本の鉄道会社は、大きく4つのグループに分けられます。ＪＲグループ、私鉄、公営鉄道、それ以外が第三セクター鉄道です。それぞれ役割がちがいます。

ＪＲグループ

日本の70％以上の線路をもつ、日本一大きなグループ。都道府県どうしの中心地を結び、長い距離を走る路線が多い。ＪＲ東日本、ＪＲ西日本など。

- ＪＲ北海道
- ＪＲ東日本
- ＪＲ東海
- ＪＲ西日本
- ＪＲ四国
- ＪＲ九州
- ＪＲ貨物

私鉄

ＪＲグループ以外の民間の鉄道会社。地域の交通としても活やくする。

- 小田急電鉄
- 近畿日本鉄道

など

公営鉄道

都道府県や市など、公的な機関が経営している。地下鉄や路面電車などがある。

- 札幌市交通局
- 東京都交通局

など

第三セクター鉄道

国や地方自治体と民間企業がいっしょに資金を出して運営している鉄道会社。

- 三陸鉄道
- 智頭急行

など

11

◆用語解説

鉄道にはさまざまな用語があるため、この本で登場する鉄道用語を中心に、一部を解説します。

編成
列車を運行するために車両を組み合わせること。1両だけでも編成と呼ぶ。

在来線
新幹線以外のJRの路線で、従来からある地上を走る鉄道のこと。

グリーン車
普通車と比べて座席が広く、ごうかな車両。乗るためには特別料金がかかる。

車体傾斜装置
カーブを走るときでも速度をあまり落とさずに走り、乗り心地をよくする。振り子式や空気ばねを使ったものなど、さまざまな種類がある。

振り子式
カーブで車両を大きくかたむけ、乗客にかかる力を床にたいして垂直にする方式。体が外側に引っぱられず、ゆれを感じにくくなる。

ミニ新幹線
秋田新幹線や山形新幹線のように、在来線も走る新幹線。在来線に合わせて、普通の新幹線よりも車体が小さくつくられている。

VVVFインバータ
「VVVF」は、「電圧と周波数をかえることができる」という意味。架線から取り入れた電気をあつかいやすく変換するための装置。

貫通扉
列車を連結したときに通りぬけられるようにする扉。地下鉄の車両のほとんどは、非常時の脱出口として貫通扉がついている。

クロスシート
進行方向やその逆側に向かって座る座席。背もたれをたおしたり、回転させて対面式にしたりできるものもある。

ATC(自動列車制御装置)
一定の間隔で列車の走行速度を受信して、速度オーバーをしていないかを確認できる。速度オーバーしていたら自動でブレーキが作動する。

スイッチバック
急な坂を登るために、進行方向を変えながらジグザグに進む方式。進行方向を変えるときは先頭車両が入れかわる。

フルアクティブサスペンション
走行中のゆれをおさえて、乗りごこちをよくする装置。おもに新幹線や特急などの車体の下についている。

第1章 新幹線

新幹線は鉄道の王様だ！
豪華さも速さもナンバーワン！

JR北海道 新幹線

北海道新幹線開業と同時に登場した新型車両

はやぶさ
H5系（H編成）

- 最高時速 320km
- 走行距離 862.5km
- 座席数 731席
- レア度 ●●●○
- ぜいたく度 ●●●○

性能
全車両にフルアクティブサスペンションを搭載。カーブでは最大1.5度、車両を空気バネでかたむける「車体傾斜装置」もついている。

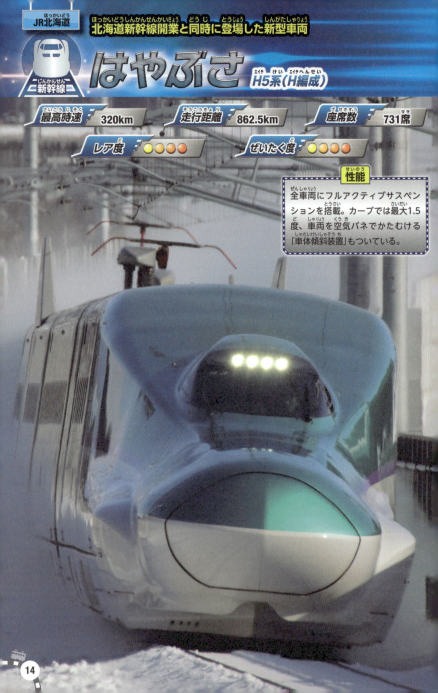

ロゴマーク
北海道の雄大さと、北海道に飛んでくるシロハヤブサがモチーフ。

デザイン
E5系とのちがいは、ラベンダーやライラックといった北海道の花を連想させる「彩香パープル」のライン。

グランクラス
もっとも豪華な車両で18席しかない。専任のアテンダントによる食事や飲みもののサービスが受けられる。座席のはばは1300mmと広く、ゆったりとすごせる。

運転席
3つのモニターには速度や運転、車両の状態などが表示される。

JR東日本のE5系を基本につくられた、JR北海道初の新幹線。E5系とは外観のラインや車内などがちがっている。「はやぶさ」や「やまびこ」として走っているが、1日に7本しかH5系を使った列車は走らないため貴重だ。

走行地域（区間）
東京～新函館北斗

動力 電気　両数 10両

車両ざんねんポイント
最高時速は日本最速の320kmだが、青函トンネルなど在来線との共用区間では、すれちがう貨物列車への影響を考えて最高140kmでしか走れない。

JR東日本・西日本

和の伝統と最新技術が融合したスタイル

新幹線

かがやき

E7系（F編成）JR東日本
W7系（W編成）JR西日本

- 最高時速 260km
- 走行距離 450.5km
- 座席数 934席
- レア度 E7 ●
  W7 ●●●
- ぜいたく度 ●●●

性能
東日本と西日本では電気の周波数がちがうため、どちらの周波数でも走れる装置が組みこまれている。

デザイン
車体は空の青さを表現した「空色」、日本の伝統工芸品である銅器などをイメージした「銅色」、日本的な気品や落ち着きを表現した「アイボリーホワイト」の3色。

デザイン
先頭はシンプルな「ワンモーションライン」と呼ばれる流線形。

グリーン車
シートは背もたれと座面がいっしょに動いてリクライニングする。

普通車
格子柄で明るいふんいきのシート。新幹線の普通車では初めて全席にコンセントがついた。

座席
12号車はグランクラスになっている。

北陸新幹線が長野から金沢まで開業したときに登場した「かがやき」。途中の停車駅にたくさんとまる「はくたか」のほか、東京～長野間の「あさま」や、富山～金沢間の「つるぎ」としても走っている。

走行地域（区間）
東京～金沢

動力 電気　両数 12両

車両ざんねんポイント
北陸新幹線が高崎から長野まで開業した際は「長野行新幹線」だった。しかし、その名は人気がなかったため、翌年ひっそりと「長野新幹線」に改名した。

JR東日本 | 2代目「こまち」としてかけぬける赤い新幹線

こまち

E6系（Z編成）

- 最高時速 320km
- 走行距離 662.6km
- 座席数 336席
- レア度 ★
- ぜいたく度 ★★★

デザイン
「アローライン」と呼ばれる先頭形状。

性能
台車はカバーでおおわれているため、騒音がおさえられ、空気の抵抗も減らしている。

運転席
シートには普通車と同様のモケットが使われている。

グリーン車
電動のレッグレストや小型テーブルなどがあり、全席にコンセントも付いている。

「こまち」は新幹線と在来線の両方を走れるミニ新幹線。だいたんな赤色で話題を呼んだE6系が、それまでのE3系にかわって走り始めた。東北新幹線内ではH5系やE5系と連結し、日本最速の時速320kmでかけぬける。

走行地域（区間）
東京〜秋田

- 動力 電気
- 両数 7両

車両おもしろポイント
「こまち」のようなミニ新幹線は、特別な踏切のある在来線も走る。

はやぶさ

JR東日本 — 東北新幹線の最大勢力

E5系（U編成）

- 最高時速 320km
- 走行距離 862.5km
- 座席数 731席
- レア度 ●
- ぜいたく度 ●●●●

性能
多くの列車は東京〜盛岡間を「こまち」と連結する。

性能
時速320kmで走っていても、E2系の最高時速である275kmのときと変わらない距離でとまれる最新のブレーキシステム。

デザイン
H5系とちがい、「つつじピンク」のラインが入っている。

東北新幹線が新青森まで開業したのに合わせて誕生。その後、E6系「こまち」とともに、国内最高の時速320kmで運転を開始した。E5系は「はやて」、「やまびこ」など、現在の東北新幹線でもっとも運転本数が多い車両だ。

走行地域（区間）
東京〜新函館北斗

- 動力 電気
- 両数 10両

車両ざんねんポイント
デビュー当時は貴重で大人気だったグランクラス。ところがE5系が増えて多くの列車にグランクラスがついたためか、残念ながら今では空席が目立つ。

19

JR東日本

引退間近のオール2階建て新幹線

Maxとき
E4系(P編成)

| 最高時速 | 240km | 走行距離 | 333.9km | 座席数 | 817席 |

レア度 ●●○
ぜいたく度 ●●●

座席
1〜3号車の2階席は3列シートがずらりと並び、定員が増えた。

ロゴマーク
マークには新潟の県鳥であるトキが描かれている。

「Max」の愛称をもつオール2階建て新幹線。東京〜越後湯沢間を「Maxたにがわ」としても走っている。E4系同士をつなげた16両の列車も運行していて、その際には定員は1634名となり、高速鉄道として世界最大の定員だ。

走行地域(区間)
東京〜新潟

動力 電気　両数 8両

車両ざんねんポイント
上越新幹線にE7系が導入されることによって、E4系がはじき出されることになった。2021年3月までに、引退することが決まっている。

JR東日本 新幹線

山形の鳥や花がモチーフの奇抜なデザイン
つばさ
E3系(L編成)

| 最高時速 | 275km | 走行距離 | 421.4km | 座席数 | 394席 |

レア度 ●
ぜいたく度 ●●●

性能
E3系やE6系は在来線も走れるよう車両が小さい。新幹線の駅ではホームとの間にすき間ができるため、停車するとステップが出てくる。

ロゴマーク
編成の4か所に、山形にゆかりのあるもののロゴマークがそれぞれ描かれている。

2000番台

1000番台

山形新幹線は国内初のミニ新幹線で、開業当初は400系という車両が走っていた。約20年後、スポーツカーのフェラーリやE6系、E7系のデザインを担当した奥山清行によって外観が奇抜な塗装にリニューアルされた。

走行地域(区間)
東京～新庄

動力 電気　両数 7両

車両おもしろポイント
E3系には1000番台と2000番台がある。見分け方はライト。目尻がとがったキツネ目が1000番台、目尻の丸いネコ目が2000番台。大きい写真は2000番台だ。

21

JR東日本 新幹線
東北新幹線と上越新幹線で今なお活躍
やまびこ E2系（J編成）

最高時速 275km　走行距離 535.3km　座席数 814席

レア度 ●●○　ぜいたく度 ●●●○

性能
新幹線として初めて、先頭車両とグリーン車にフルアクティブサスペンションが搭載された。

性能
「やまびこ」の10号車と「つばさ」の11号車が連結する。

東北新幹線の一部の「はやて」や「やまびこ」、「なすの」のほか、上越新幹線では「とき」、「たにがわ」としても走っている。多くの「やまびこ」は、東京～福島間をE3系「つばさ」と連結して走行する。

走行地域（区間）
東京～盛岡

動力 電気　両数 10両

車両ざんねんポイント
長らく東北新幹線で活躍してきたE2系。今ではE5系に主役の座をゆずり、上越新幹線へ走る場を移し、その勢いはおとろえはじめている。

JR東日本

JR東日本の新幹線検測車
East i
E926形（S編成）

最高時速	275km	走行距離	不定※	座席数	客席なし
レア度	★★★★★	ぜいたく度	設定なし		

性能
東日本と西日本のどちらの周波数でも走れる。最高時速275kmで走りながら検査ができる。

ロゴマーク
乗務員扉の横に描かれている。

新幹線の架線や線路などに異常がないか検査をする電気・軌道総合試験車。E3系をベースに車両がつくられているため、東北・北海道・上越・北陸の各新幹線のほか、秋田や山形のミニ新幹線も走れることが特ちょうだ。

走行地域（区間）
不定※

動力 電気　両数 6両

車両ざんねんポイント
「イーストアイ」は約10日に一度しか走らない超貴重な列車なのだが、「ドクターイエロー」と比べるとあまり知られていないのか、人気が低いのが悲しい。

※さまざまな場所を走るので、走行距離や地域は限定できない。

のぞみ

JR東海・西日本 — 日本の大動脈を支える圧倒的な存在感

N700A（G・X編成）JR東海
N700A（F・K編成）JR西日本

新幹線

- 最高時速：300km
- 走行距離：1174.9km
- 座席数：1323席
- レア度：●
- ぜいたく度：●●●

ロゴマーク

上の写真が、新しく製造されたN700A（G・F編成）のマーク。N700系の車両を改造してN700Aになった車両（X・K編成）には、下の写真のマークがついている。

性能

ブレーキの距離を縮める「中央締結ブレーキディスク」や、ATC（自動列車制御装置）を利用した「定速走行装置」など最先端のシステムがそろっている。

> **デザイン**
> 先頭部は鳥が羽根を広げたような「エアロダブルウィング」という形。

環境にやさしい技術が
たくさんつまった新幹線！

> **普通車**
> 5列並んだ青いシートがあざやか。グリーン車と同じように、床が音を吸収するつくりになっており、静かに過ごせる。

> **多目的トイレ**
> 広いので車イスのまま入ることができる。おむつ交換台やベビーチェアもあるので、赤ちゃんを連れた人でも安心だ。

東京〜博多間を最速4時間46分で結ぶ、日本を代表する新幹線。N700Aの「A」は、今までのN700系よりも「進化した（Advanced）」という意味。省エネルギーや地球温暖化防止のため、多くの最新技術が組みこまれている。

走行地域（区間）
東京〜博多

動力 電気　**両数** 16両

> **車両おもしろポイント**
> N700Aが出そろったばかりなのに、2020年度には早くも次の新形式N700Sが登場する予定となっている。「S」は、「Supreme（最高の）」の頭文字だ。

JR東海・西日本 今後が気になる少数派

こだま

700系(C編成) JR東海
700系(B・C編成) JR西日本

| 最高時速 | 285km | 走行距離 | 552.6km | 座席数 | 1323席 |

レア度 ●●●●○
ぜいたく度 ●●○○○

デザイン
先頭の形は「エアロストリーム」といって両側のくぼみから風をにがし、騒音をおさえている。

ロゴマーク
車体の側面についている(上)。JR西日本のB編成には、両先頭部に別のロゴマークがある(下)。

東海道新幹線では「こだま」として、山陽新幹線では一部の「ひかり」と「こだま」として走っているが、N700系などの出現により数は減り続けている。2020年3月には東海道新幹線からの引退が決定し、今後が気になる存在だ。

走行地域(区間)
東京～新大阪など

動力 電気　両数 16両

車両ざんねんポイント
2代目「のぞみ」としてデビューした700系だが、その形から「カモノハシ」や「アヒル」など、時速270kmで走るイメージとはほど遠い呼ばれかたをしていた。

26

JR西日本 新幹線

バラエティに富んだ車内が自慢

ひかり 700系（E編成）

| 最高時速 | 285km | 走行距離 | 622.3km | 座席数 | 571席 |

レア度 ●●●●
ぜいたく度 ●●●

愛称
車両は「レールスター」という愛称で呼ばれている。

デザイン
白い700系と区別するため、カラーリングも変わっている。

ロゴマーク
車体に描かれている。

山陽新幹線のみを走る車両として2000年に誕生。正式な形式は700系7000番台。4人用個室「コンパートメント」や片側2列ずつの「サルーンシート」、コンセントのついた「オフィスシート」など充実した設備が特ちょうだ。

走行地域（区間）
新大阪〜博多

動力 電気　両数 8両

車両ざんねんポイント
今までの車内を大はばにグレードアップして話題を呼んだが、現在は「ひかり」としては一日に3本しか運転がなく、多くが「こだま」として走っている。

27

JR西日本・九州 関西と九州を乗りかえなしで結ぶ

みずほ

N700系(S編成) JR西日本
N700系(R編成) JR九州

新幹線

最高時速 300km 走行距離 911.2km 座席数 546席

レア度 ●●
ぜいたく度 ●●●●

性能
急な坂が多い九州新幹線でも走れるよう、全ての台車にモーターがついている。

ロゴマーク
JR西日本とJR九州が手を取り合っているような曲線が描かれている。

KYUSHU WEST JAPAN

デザイン
青磁という焼き物の色をイメージした、淡い水色をしたボディーカラー。

西日本を走りぬける淡い水色の新幹線！

パウダールーム
身じたくを整えたり化粧を直したりできる。全身が映る大きな鏡もある。

普通車
シートが2列ずつ並ぶ普通車の指定席。通常のグリーン車とあまり変わらないため、とても人気が高い。

山陽新幹線と九州新幹線を乗りかえなしで、最速3時間41分で結んでいる。手すりやテーブル、デッキなどに木をたくさん使っているため、車内のふんいきがあたたかい。途中の停車駅が多い「さくら」としても走っている。

走行地域（区間）
新大阪～鹿児島中央

動力 電気　両数 8両

車両おもしろポイント
昔、東京と熊本の間を走っていた寝台特急「みずほ」から愛称を取った。「さくら」も、東京と長崎・佐世保を走っていた寝台特急からつけられた。

こだま 500系（V編成）

JR西日本 新幹線

戦闘機のようなスタイルが人気

- 最高時速 285km
- 走行距離 622.3km
- 座席数 557席
- レア度 ●●●
- ぜいたく度 ●●●

性能
先頭部が細長いため、先頭車両の前側と最後尾の車両の後ろ側には、ドアがない。

デザイン
とがった先頭の形は、空気の抵抗をなくして速く走るため。鳥のカワセミのくちばしをヒントにつくられた。

車内
本物そっくりの「お子様向け運転台」。

ハンドル操作をして実際に新幹線を運転している気分が味わえる。

かつて「のぞみ」として日本で初めて時速300kmを実現した500系。現在は8両編成で「こだま」として活躍している。4～6号車の普通車指定席は片側2列ずつのシートに改造され、8号車には「お子様向け運転台」もある。

走行地域（区間）
新大阪～博多

- 動力 電気
- 両数 8両

車両ざんねんポイント
500系は日本でただひとつ、フクロウの羽を参考にした「翼型」のパンタグラフを採用した車両だったが、現在はシングルアーム式に変更されてしまった。

JR九州 新幹線

金ぱくをはった豪華すぎる車内

つばめ
800系（U編成）

- 最高時速 260km
- 走行距離 288.9km
- 座席数 384席
- レア度 ●●●
- ぜいたく度 ●●●

性能
ドクターイエローが走らない九州新幹線は、一部の新800系が、線路や架線などの検査をする。

デザイン
写真の車両は新800系と呼ばれ、800系とは赤いラインの形などもちがっている。

車内
新800系の壁には金ぱくがはられた豪華な車両もある。

ライト
鉄道車両として世界で初めて立体的になったライト。

「つばめ」や一部の「さくら」として走る800系。車体のつくりやしくみは700系とほぼ同じで、外側のデザインが変更されている。グリーン車はなく、普通車の座席は指定席も自由席も2列掛け。号車ごとにシートの色がちがう。

走行地域（区間）
博多〜鹿児島中央

車両ざんねんポイント
地図を見ると九州新幹線は海沿いを走っているが、実は車内から海が間近に見えるのは新水俣〜出水間の1か所だけで、それもわずか数秒。見逃さないように。

- 動力 電気
- 両数 6両

31

ドクターイエロー

JR東海・西日本 / 幸せの黄色い新幹線 / 923形 T編成

- 最高時速: 270km
- 走行距離: 不定※
- 座席数: 客席なし
- レア度: ●●●●●
- ぜいたく度: 設定なし

デザイン
700系を元につくられたため、今までの「ドクターイエロー」より60kmも速い、時速270kmで検査ができるようになった。

ニックネーム
車体が黄色に塗られていることから「ドクターイエロー」と呼ばれている。JR東海の車両はT4編成、JR西日本の車両はT5編成だ。

走りながら線路や
信号の具合を診断！

性能
ライトの下のカメラで線路を撮影し、車内の
モニターでチェック。床下にさまざまなセン
サーがあり、1秒間に1000回レーザービー
ムを当てて線路のゆがみなどを検査する。

連結部
データを集めるため、太いケーブル
が車両をまたいで張られている。

電気関係測定室
架線や信号などのデータが
集められ、検査員がモニ
ターを見て点検をする。

観測ドーム
3号車と5号車にあり、架線を
カメラで撮影してデータを集め
る。人が座って目でも確認でき
るようにシートもある。

走りながら電気や信号、線路などの検
査をする車両で、正式には新幹線電気
軌道総合試験車という。約10日に一度
しか走らない。そのため見かけると幸
せになれるといううわさもあり、「幸せ
の黄色い新幹線」とも呼ばれる。

走行地域（区間）
不定※

車両ざんねんポイント
「線路のお医者さん」と
も呼ばれるが、実は検
査をしてデータを集め
るのが主な仕事。実際
に線路や架線を直す作
業は、ほかの保線車両
や人間がおこなう。

動力 電気　両数 7両

※さまざまな場所を走るので、走行距離や地域は限定できない。

33

車両のしくみ

電車のしくみ

「電車」は、電気の力でモーターを動かして人や荷物を運びます。車両と電気を集めるしくみを見てみましょう。

JR東日本　E233系

無線アンテナ
運転士や車掌などの乗務員と、運転指令所などが連絡を取るための装置

空調装置
車内の冷房や暖房、除湿などをする装置

パンタグラフ
架線から電気を取りこむ装置

連結器
車両と車両をつなぐ装置

電車の台車

VVVFインバータ
取りこんだ電気を使いやすいように変換する装置

電動台車
全ての台車にモーターはついているわけではない。モーターがついている台車を「電動台車」という

集電の方法

電気は、「パンタグラフ」や台車の「集電靴」などで取りこみます。「蓄電池」にためたものを使う車両もあります。

パンタグラフ

多くの電車は、パンタグラフを使って架線から電気を取りこんで走る。パンタグラフが直接ふれる架線のトロリー線には、電気が流れている。吊架線はトロリー線を一定の高さに保つもの、ハンガはトロリー線をつるす金具だ。

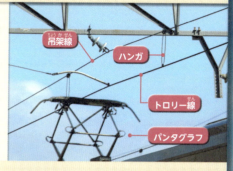

集電靴

線路のわきに設置された第三軌条（サードレール）から、台車に取りつけた集電靴で電気を取りこむ。これは、「第三軌条方式」といって、せまいトンネルを走る地下鉄などで、使われている。写真は、地下鉄丸ノ内線を走る02系。

蓄電池

架線のある区間で電気を蓄電池に充電し、架線のないところでもたくわえた電気で走ることができる架線式蓄電池電車。架線のない線路でも、気動車のような排ガスや騒音を出すことがないので、環境にやさしい電車だ。

車両の
しくみ

ディーゼルカーのしくみ

「ディーゼルカー」は、「ディーゼルエンジン」で軽油を燃やして、エネルギーをつくっています。そのため、架線のない地域でも、線路があれば走ることができます。ディーゼルカーは、「気動車」とも呼ばれます。

キハ122形

パンタグラフはないよ！

エネルギーの流れ

- **冷却装置**: 熱をもちやすいエンジンなどを冷やす
- **燃料タンク**: 燃料の軽油をためておくところ

ディーゼルエンジン	変速機	推進軸	動台車
軽油を燃やすとエネルギーが生まれる	速度や走行状況にあわせてエネルギーを調節する	変速機で調整した動力を車軸に伝える	車軸に伝わり車輪が動く

日本各地の
ディーゼル特急

おもに架線の少ない北海道や四国、九州などで活やくしています。

JR北海道 キハ261系
宗谷

札幌駅から日本のいちばん北にある、稚内駅まで走っている。青い車体の北海道を代表するディーゼル特急だ。グリーン車は、豪華な革張りの座席、普通車のシートは3種類あり、カラフルで楽しい座席となっている。

JR四国 2000系
南風

振り子式のディーゼルカーで、岡山駅から高知駅などの間を走り、本州と四国を結んでいる。「南風」には、アニメのキャラクター「アンパンマン」がえがかれた、楽しい「アンパンマン列車」も走る。

JR九州 キハ183系
あそぼーい！

九州の特急は、色や形がさまざまで、座席も楽しいものがたくさんある。阿蘇駅から別府駅まで走る「あそぼーい！」は、先頭車両が窓の大きいパノラマシートになっていて、阿蘇山の景色を十分楽しめる。

車両の種類

列車の車両は、大きく「動力車」と「付随車」に分けることができます。

動力車
「動力」があるので、自分で動ける

おもに乗客を運ぶ 旅客車

電車
電気の力でモーターを動かす。

ディーゼルカー
燃料の軽油を燃やして、ディーゼルエンジンを動かす。

付随車をひっぱる 機関車

蒸気機関車(SL)
燃料の石炭を燃やして、蒸気の力で動く。

電気機関車(EL)
電気の力で動く。

ディーゼル機関車(DL)
ディーゼルエンジンで動く。

付随車
「動力」がないので、自分で動けない

客車
乗客を運ぶ車両で、旅客車のなかま。座席車や寝台車のほか、展望車や食堂車などもある。機関車などにひかれて動く。

貨車
貨物を運ぶ車両。荷物を入れるコンテナ車や石油・ガスなどを入れるタンク車など、運ぶものによってさまざまな形がある。

※電車やディーゼルカーにも、動力のない付随車があります。

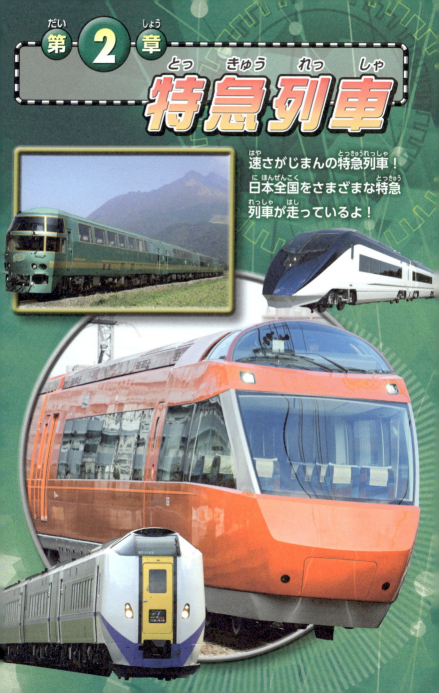

第2章 特急列車

速さがじまんの特急列車！
日本全国をさまざまな特急列車が走っているよ！

JR北海道

日本でいちばん北を走る特急
宗谷 キハ261系

- 最高時速 120km
- 走行距離 396.2km
- 座席数 204席
- レア度 ★★★★☆
- ぜいたく度 ★★★☆☆

車体
デンマークの国鉄と共同でつくられた。

サロベツ
同じ車両で運行されている特急。

グリーン車
北海道で初めて牛革のシートが使われたグリーン車。

日本でいちばん北にある稚内をめざす特急。ディーゼルカーの特急としては日本一長い距離を走り、札幌〜稚内間をおよそ5時間10分で運行する。途中の旭川から稚内を結ぶ「サロベツ」も同じキハ261系で運行されている。

走行地域（区間） 札幌〜稚内

動力 ディーゼル
両数 4両

車両ざんねんポイント
キハ261系は、以前は、カーブのときに空気バネで車体をかたむける「空気ばね式車体傾斜装置」を使って走っていた。しかし、現在は使われていない。

JR北海道
石北本線を走る国鉄型車両
オホーツク キハ183系

特急

| 最高時速 | 110km | 走行距離 | 374.5km | 座席数 | 213席 |

レア度 ●●●
ぜいたく度 ●●

性能
北海道の雪や寒さにたえられるよう、特別なつくりになっている。

ヘッドマーク
貫通扉には愛称をデザインしたマークが表示されている。貫通扉以外、先頭部は青色。

大雪
同じ車両で運行されている特急。

北海道の東にある、オホーツク海から愛称が付けられた。キハ183系は北海道の特急専用車両として、JR北海道がまだ国鉄と呼ばれていた1980年代につくられた。旭川から網走までは同じ車両で「大雪」も運転されている。

走行地域（区間）
札幌〜網走

動力 ディーゼル
両数 4両

車両おもしろポイント
「オホーツク」は、JRの特急の中でただひとつのロシア語の愛称だ。トレインマークもよく見ると、英語ではなく、ロシア語で書かれている。

JR北海道 — 北海道を代表するビジネス特急

特急 カムイ 789系

- 最高時速: 120km
- 走行距離: 136.8km
- 座席数: 283席
- レア度: ★★
- ぜいたく度: ★★

車体
形式は「ライラック」と同じ789系だが、「カムイ」は外観の色などがちがい、先頭部に貫通扉のない1000番台を使用している。

座席
4号車は「uシート」。ひろびろとしたシートでコンセントもついている。

多くの人が利用しやすいよう、「カムイ」と「ライラック」のほとんどの列車が、札幌駅や旭川駅を毎時0分や30分に出発。グリーン車はなく4両が自由席で、残りの1両は指定席料金をはらえば座れる「uシート」になっている。

走行地域（区間）: 札幌〜旭川

動力: 電気
両数: 5両

車両おもしろポイント
同じ札幌〜旭川間を走る「ライラック」とは兄弟のような列車。1号や12号などの号数も「カムイ」と「ライラック」は同じ特急として割り当てられている。

JR北海道 特急 沿線ゆかりのデザインでラッピング

ライラック 789系

- 最高時速 120km
- 走行距離 136.8km
- 座席数 345席
- レア度 ●●
- ぜいたく度 ●●

座席

普通車のシートは車両によって赤か緑。青色のシートがたまにある。

ラッピング

ラッピングは、編成ごとに6種類ある。写真の列車は札幌の時計台だ。

運転本数が北海道でもっとも多い特急列車。同じ区間を走る「カムイ」とともに、多くのビジネスマンが利用する。先頭部の乗務員扉の横には、走行する地域と、網走や稚内の観光地や動物、花など4種類がラッピングされている。

走行地域（区間）
札幌～旭川

動力 電気　両数 6両

車両おもしろポイント

789系はキハ261系を手本としてつくられた。ライトの形などにちがいはあるものの、外観がどことなく似ているのは、そのためなのだ。

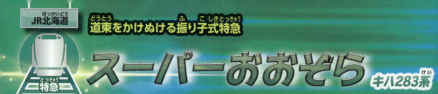

JR北海道

道東をかけぬける振り子式特急

スーパーおおぞら

キハ283系

| 最高時速 | 110km | 走行距離 | 348.5km | 座席数 | 363席 |

レア度 ●●○
ぜいたく度 ●●●

性能
「自動操舵台車」と「制御式振り子装置」を装備しているので、急カーブでもあまり速度を落とさずに走ることができる。

デザイン
先頭部のブルーを基本に、グリーンと丹頂鶴の赤を組み合わせた外観。

振り子式の車両であるキハ281系の改良形としてつくられたキハ283系を使用してデビュー。その後、グリーン車が大リニューアルし、スライド式の大型背面テーブルやコンセント、LEDの読書灯などが加わった。

走行地域（区間）
札幌〜釧路

動力 ディーゼル
両数 7両

車両おもしろポイント
キハ283系のヘッドライトはたてに並んでいるが、4つもライトがあるのはめずらしい。ライトの数が多い理由は、沿線で発生する霧に対応するためだ。

44

JR北海道
リニューアル車両がまぶしい
スーパーとかち キハ261系

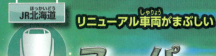

| 最高時速 | 120km | 走行距離 | 220.2km | 座席数 | 178席 |

レア度 ●●○
ぜいたく度 ●●●

デザイン
北国に降る雪、ラベンダーやライラックの花の色、菜の花畑などをイメージしたカラーリング。

車体
キハ261系100番台・200番台の「スーパー宗谷」とは、ヘッドライトの形などがちがう。

グリーン車
1両の半室がグリーン車という列車が多い北海道で、1両全てがグリーン車なのはめずらしい。

デビュー時の外観は青がメーンのカラーリングだったが、その後、白がメーンの車両にリニューアルされた。形式は「スーパー宗谷」と同じキハ261系だが、「スーパーとかち」はキハ261系1000番台だ。

走行地域(区間) 札幌～帯広
動力 ディーゼル
両数 4両

車両おもしろポイント
石勝線新夕張～新得間には、普通列車が走っていない。そのためこの区間内は、特急の自由席に普通乗車券のみで乗車できるので、お得だ。

JR北海道 都市間を結ぶアクセス特急

すずらん 785系

特急

最高時速 120km 　走行距離 129.2km 　座席数 291席

レア度 ●●●●○　ぜいたく度 ●●●○○

車体
785系はグッドデザイン賞を受賞。

性能
ボディは軽量のステンレスを使用し、交流電車としては初めてVVVFインバータ制御を取り入れた。

千歳線、室蘭本線の都市と都市との間を行き来する人が多く利用しているアクセス特急。東室蘭から室蘭の間は普通列車として運転されるので、乗車券だけで特急車両に乗れてお得だ。789系1000番台で運転される列車もある。

走行地域（区間）
札幌～東室蘭

動力 電気　両数 5両

車両ざんねんポイント
785系は今まで内装やヘッドライト、走行装置などをリニューアルして活躍してきたが、2020年までの引退が発表されている。乗りたい人はお早めに。

46

JR北海道
車窓に広がる噴火湾が美しい
スーパー北斗 キハ261系

| 最高時速 | 120km | 走行距離 | 318.7km | 座席数 | 345席 |

レア度 ●●
ぜいたく度 ●●

デザイン
外観がリニューアルされたキハ261系1000番台。

座席
グリーン車は革張りのシートで、ひじかけに折りたたみ式のテーブルが収まっている。

デザイン
キハ281系。青い先頭部は噴火湾をイメージ。

函館本線や室蘭本線の海沿いの区間を走るので、噴火湾の美しい景色をながめることができる。北海道新幹線が開業してからは、新函館北斗駅で新幹線に乗り降りする人を運ぶ役割も担う。キハ281系で運転する列車もある。

走行地域（区間）
函館〜札幌

動力 ディーゼル
両数 7両

車両おもしろポイント
JR北海道の特急のなかで車内販売があるのは、この「スーパー北斗」だけ。全ての列車でおこなわれているわけではないので、事前に確認しよう。

47

JR東日本

JR東日本でただひとつの交流特急

特急 つがる E751系

- 最高時速 130km
- 走行距離 185.8km
- 座席数 250席
- レア度 ●●○
- ぜいたく度 ●●○

デザイン
かつて常磐線で走っていたE653系を基本につくられた。

グリーン車
グリーン車のシートピッチは1160mmもある。

性能
北東北の寒さにたえられるよう、客室扉をペーパーハニカム構造にしたり、デッキに温風暖房機を置いたりするなど、数々の対策をしている。

デビューは東北新幹線の八戸開業時。当時は八戸〜弘前間を結んでいたが、東北新幹線が新青森まで延びたとき、現在の区間に変更になった。使用しているE751系は、JR東日本ではただひとつの交流専用の特急車両だ。

走行地域（区間）
青森〜秋田

動力 電気　両数 4両

車両おもしろポイント
「つがる」という愛称は、もともと1956年に上野〜青森間を、奥羽本線経由で走っていた急行列車「津軽」が発祥だ。「出世列車」とも呼ばれていた。

48

JR東日本 特急

日本海の絶景が楽しめる

いなほ E653系

| 最高時速 | 120km | 走行距離 | 168.2km | 座席数 | 428席 |

レア度 ●●
ぜいたく度 ●●

座席 3列のシートが並ぶグリーン車。

デザイン 外観は日本海にしずむ夕陽にかがやく波やあかね空、稲の穂をイメージした暖色系でまとめられている。

性能 雪の多い地域を走るので、暖房などが強化されている。

日本有数の米どころである山形県の庄内地方を走ることから「いなほ」と名付けられた。日本海沿いを走るので車窓は美しく、特に岩の海岸が続く観光地「笹川流れ」は絶景だ。1日7往復のうち、3往復は秋田まで結んでいる。

走行地域（区間） 新潟～酒田など

動力 電気　両数 7両

車両おもしろポイント
「いなほ」には、写真の車両のほかに、海や空の青さを表した瑠璃色と、はまなすのピンク色の、3種類の車両が走っている。どの色が来るかは、お楽しみ。

49

JR東日本 特急

最大本数で首都圏と福島を結ぶ

ひたち E657系

- 最高時速 130km
- 走行距離 222.0km
- 座席数 600席
- レア度 ●○○
- ぜいたく度 ●●○

性能
車体はE259系にならってアルミ製のダブルスキン。

デザイン
車体の色は、偕楽園の白梅の白、紅梅をイメージしたピンク色、ラベンダーグレー。

座席
全ての座席にコンセントがついていて、インターネットに接続できる。

首都圏と茨城県の各都市や福島県のいわきまでを結んでいる。上野東京ラインができてからは、ほとんどの列車が上野から品川始発に変わった。勝田や高萩まで走る「ときわ」は、「ひたち」よりも途中の停車駅が多い。

走行地域（区間）
品川〜いわきなど

動力 電気　両数 10両

車両おもしろポイント
常磐線赤塚〜水戸間にある偕楽園駅は、偕楽園で開催される「水戸の梅まつり」の時期のみ営業する臨時駅。「ひたち」「ときわ」も偕楽園駅に臨時停車する。

JR東日本

日光・鬼怒川への新たなアクセス

特急 きぬがわ 253系

| 最高時速 | 130km | 走行距離 | 140.2km | 座席数 | 290席 |

レア度 ●●●●
ぜいたく度 ●●

デザイン
外観の赤と朱色は二社一寺や神橋を、黄色は野山にさくニッコウキスゲや紅葉を表している。

性能
車内の自動放送は日本語のほか、英語、中国語、韓国語の4か国語で案内が流れる。

東武鉄道と相互直通乗り入れしたときにデビューし、都心の新宿からでも日光へ乗りかえなしでいけるようになり便利になった。同じ区間で、東武のスペーシアという車両による「スペーシアきぬがわ」も運転されている。

走行地域（区間）
新宿〜鬼怒川温泉

動力 電気　両数 6両

車両ざんねんポイント
「成田エクスプレス」として走っていた253系200番台はプラグドアによるスマートな貫通扉が特徴だったが、リニューアルの際に取り外されてしまった。

JR東日本

都心と群馬を結ぶ通勤特急

スワローあかぎ 651系

- 最高時速 120km
- 走行距離 101.4km
- 座席数 398席
- レア度 ●●
- ぜいたく度 ●●

性能
リニューアル後、パンタグラフがシングルアームに変更。

ライン
651系を1000番台にリニューアルし、側面にオレンジの帯を追加。

ヘッドマーク
英語では「S.AKAGI」と表記されている。

高崎線を利用する通勤客のための特急で全てが指定席。乗車したい列車が決まっていない場合は、列車を指定せずに「座席未指定券」で空席を利用できる。このサービスはのちに「ひたち」「ときわ」でも採用された。

走行地域（区間）
上野〜高崎など

動力 電気　両数 7両

車両ざんねんポイント
「スワローあかぎ」は通勤特急のため、会社が休みになる土曜や休日は運転されていない。代わりに「あかぎ」が運転されるが、本数は平日の半分以下だ。

52

JR東日本

空港特急としてのサービスも充実

成田エクスプレス E259系

- 最高時速 130km
- 走行距離 125.7km
- 座席数 290席
- レア度 ●
- ぜいたく度 ●●

システム
スムーズに列車どうしの分割や連結ができるよう、貫通扉の上に運転台を設け、自動ホロ装置などの設備も充実。

ロゴマーク
飛行機をデザインしたようなロゴマーク。

愛称
英語表記の「Narita Express」を略して「N'EX」と呼ばれている。

253系にかわり、2代目「成田エクスプレス」として走り始めたE259系。車内にはロック付きの荷物棚、インターネットへの接続、英語や中国語などでの自動放送など、空港利用者のためのサービスが満載だ。

走行地域（区間）
大船〜成田空港など

車両おもしろポイント
富士山が世界遺産に登録された1年後、土曜と休日のみ富士急行線へ乗り入れて河口湖まで足をのばす列車もあり、海外の人にも人気がある。

- 動力 電気
- 両数 6両

JR東日本 特急 さざなみ E257系

観光特急から通勤特急へ

- 最高時速 130km
- 走行距離 81.3km
- 座席数 306席
- レア度 ●●●
- ぜいたく度 ●●

車両
E257系500番台の先頭車は全て貫通型。

性能
上りの1本のみ255系で運転、グリーン車も連結されている。

デザイン
色は、房総の海と菜の花、砂浜をイメージ。

かつては内房方面への行楽や観光でにぎわっていたが、アクアラインの開通や高速バスの人気が高まり、利用客が減少。現在では君津を朝に出発して東京へ向かい、東京を夕方に出発し君津に夜到着する、通勤特急のダイヤだ。

走行地域（区間）
東京〜君津

- 動力 電気
- 両数 5両

車両ざんねんポイント
「さざなみ」は通勤特急のため、土日や祝日は全列車が運休だ。そのため、ほかの地域で働いている人や学生たちの目にふれる機会はほとんどない。

54

JR東日本

房総特急として総武本線を走るのはしおさいだけ

しおさい 255系

| 最高時速 | 130km | 走行距離 | 120.5km | 座席数 | 544席 |

レア度 ●●●
ぜいたく度 ●●

性能
JR東日本の特急電車として初めてVVVFインバータ制御を導入。

愛称
「BOSO VIEW EXPRESS」と呼ばれている。

東京〜千葉県各地を結ぶ房総特急として、総武本線を走るただひとつの列車。通勤特急の役割が強く、東京に朝向かう上り列車と、東京を夕方や夜に出発する下り列車は自由席が多い。4号だけ、E257系で運転されている。

走行地域（区間）
東京〜銚子など

動力 電気　両数 9両

車両ざんねんポイント
総武本線には以前、東京や両国と佐原や銚子を結ぶ「あやめ」や「すいごう」が特急として走っていたが、高速バスとの競争に勝てず廃止となってしまった。

JR東日本 — 種類が多く豪華な座席が自慢

特急

スーパービュー踊り子 251系

- 最高時速 120km
- 走行距離 167.2km
- 座席数 497席
- レア度 ●●●
- ぜいたく度 ●●

車両
全ての車両がダブルデッカー（2階建て）か、ハイデッカー（床が高い）のため、ながめが良い。

デザイン
「飛雲ホワイト」と「エメラルドグリーン」に色分けされ、境目には「ライトブルー」のラインが入る。

性能
運転席の下に並んだ3つのライトが特徴だ。

56

グリーン車

1号車の2階はグリーン車で、いちばん前と二番目は前方のながめもよい展望席だ。2号車の1階にはグリーン個室もある。

サロン
1号車の1階は大きなソファがあるサロン室。飲みものや軽い食事が楽しめるが、利用できるのはグリーン車の乗客だけ。

プレイルーム
子どもが遊べる「プレイルーム」は10号車の1階。カラフルなクッションが並ぶ。

「乗った時からそこは伊豆」をコンセプトに、JR東日本初のリゾート専用列車としてデビュー。その後、外観も車内も大はばにリニューアルし、現在の姿になった。伊豆の海岸をたっぷり楽しめるよう、窓も大きい。

走行地域（区間）
東京〜伊豆急下田 など

動力 電気　両数 10両

車両おもしろポイント
251系は平日の「おはようライナー新宿26号」「ホームライナー小田原23号」でも走る。乗車券とライナー券、または普通列車グリーン券だけで乗れる。

JR東日本

首都圏と北関東をつなぐ
スーパーあずさ
E353系

- 最高時速 130km
- 走行距離 225.1km
- 座席数 686席
- レア度 ●●
- ぜいたく度 ●●

性能
空気ばね式の車体傾斜装置を取り入れ、カーブでのスピードアップと乗り心地を良くしている。

デザイン
車体の色は南アルプスの雪をイメージしたアルパインホワイトが中心。縦に並んだ5つのヘッドライトも特徴。

ロゴマーク
側面の窓の縁にも似た6角形のような輪郭。

E351系にかわり、デビューした特急。全席にコンセントと大型のテーブルが設置され、普通車にもグリーン車と同じように上下に動かせる枕がつけられた。車内は空気清浄機もあり、照明もLEDになった。

走行地域（区間）
新宿～松本など

車両おもしろポイント
車両のデザインは、E7系やE6系などを担当した奥山清行。最近は水戸岡鋭治や岡部憲明など、鉄道以外のデザイナーが車両をデザインするのがブームだ。

動力 電気　両数 12両

JR東日本 特急

「あずさ」のカバー役

かいじ E257系

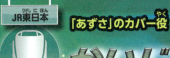

- 最高時速 130km
- 走行距離 123.8km
- 座席数 558席
- レア度 ★★☆
- ぜいたく度 ★★☆

性能
E653系やE751系をお手本に、通勤電車のE231系に使われている技術もとり入れた。

車両
運転席が非貫通型タイプのほか、貫通扉のあるタイプもある。

デザイン
アルプスの山々やリンゴの花などをイメージした白をメーンにして、武田菱をモチーフにしたカラフルなひし形模様は、沿線の四季の色どりを表している。

武田菱。4つのひし形を組み合わせたもの。

E257系は「あずさ」としても走る車両。富士山や南アルプスなど、中央本線の美しい自然が満喫できる大きな窓が特ちょうだ。「かいじ」は「スーパーあずさ」や「あずさ」が通過する駅の乗客を乗せるため、比較的こまめに停車していく。

走行地域（区間）
新宿〜甲府 など

動力 電気　両数 9両

車両おもしろポイント
沿線に広がる絶景は右に左にと移りかわり、目まぐるしい。それらの景色をたっぷり楽しむなら、9号車にあるフリースペースがおすすめだ。

59

京成電鉄

在来線最速の160kmでかけぬける
スカイライナー
AE形

- 最高時速 **160km**
- 走行距離 **64.1km**
- 座席数 **398席**
- レア度 ●
- ぜいたく度 ●●

ロゴマーク
スカイライナーの英語の頭文字「S」を筆で大きくデザインし、スピード感を表している。

性能
マスコンをゆるめて加速するのを止めても、そのままのスピードを保つことができる。

デザイン
「ウインドブルー」と、まっ白の「ストリームホワイト」のカラーリング。

成田スカイアクセス線を経由し、日暮里と空港第2ビルとの間を最速36分で結ぶ、最高時速160kmの在来線最速特急。全ての座席にコンセントがあり、シートの間隔も1055mmと広いのでゆったりとくつろげる。

走行地域（区間）
京成上野～成田空港

車両おもしろポイント
JR成田線成田駅から成田空港駅の区間は、実は成田空港高速鉄道という会社の線路。JRと京成電鉄はこの会社に線路使用料をはらって列車を走らせている。

- 動力 電気
- 両数 8両

60

東武鉄道

観光にも通勤にも便利な特急

私鉄特急

リバティけごん 500系

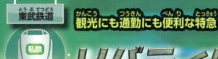

- 最高時速 120km
- 走行距離 135.5km
- 座席数 161席
- レア度 ●●
- ぜいたく度 ●●

デザイン
車体は「シャンパンベージュ」を基本にして、窓の周りは「フォレストグリーン」と「フューチャーブルー」が彩られている。

座席
シートの色は江戸の伝統色「江戸紫」がモチーフ。

性能
列車どうしの分割や連結がスムーズにできるよう、自動で開く貫通扉や貫通ホロを備えている

短い3両編成の列車を途中の駅で分割したり連結したりすることで、さまざまな運行ができるようになった。これによって、今までは特急が走っていなかったり通過したりしていた駅でも運行や停車するようになった。

走行地域（区間）
浅草〜東武日光など

車両おもしろポイント
東武日光線下今市駅から鬼怒川温泉方面へ「リバティ」で行く場合、特急料金は不要。たとえば会津田島へは特急車両が62.3kmも乗車券だけで乗れる。

- 動力 電気
- 両数 3両

61

東武鉄道

東武鉄道を代表する特急列車

きぬ 100系

最高時速	130km
走行距離	140.8km
座席数	288席

レア度 ●
ぜいたく度 ●●

デザイン
淡いブルーのカラーリング「粋」は、東京スカイツリーがライトアップされたときのイメージ。

愛称
100系は「スペーシア」という愛称で親しまれている。

日光詣スペーシア
スペーシアの一部の車両を、世界遺産である日光二社一寺(日光東照宮など)の代表建造物をイメージし、金色、黒色、朱色でカラーリング。

車両
東武日光線や鬼怒川線を走る特急を象徴してきた色の「サニーコーラルオレンジ」。

むらさき色の「雅」。

車内
ホテルのデザイナーが手がけた車内は、とても豪華。普通車のシートピッチは1100mm。

コンパートメントルーム
「コンパートメントルーム」があるのが「スペーシア」の最大の魅力。4人用の個室が6室並ぶ。

「きぬ」として走る100系は、東武鉄道の特急車両の中でも代表的な車両だ。6号車には個室があり、高価な天然大理石のテーブルが中央に置かれている。3号車には飲みものや軽食が売られているビュッフェもある。

走行地域（区間）
浅草～鬼怒川温泉など

動力 電気　両数 6両

車両ざんねんポイント
時期や愛称は不明だが2020年以降、「スペーシア」に代わり新しい特急車両が登場する。1990年以来活躍し続けてきた100系の引退も近づいている。

63

小田急電鉄
最新鋭のロマンスカー
スーパーはこね 7000形

- 最高時速 110km
- 走行距離 88.6km
- 座席数 400席
- レア度 ●●
- ぜいたく度 ●●

ロゴマーク
先頭部の両サイドにさりげなくエンブレムが輝いている。

愛称
愛称は「GSE」。「Graceful (優雅な) Super Express」の頭文字。

デザイン
バラ色の「ローズバーミリオン」をメーンに、ロマンスカーの伝統的な色「バーミリオンオレンジ」のラインが入る。屋根は深い赤色の「ルージュボルドー」。

席
両先頭車両の16席が展望席。ガラスの高さがVSEより30cm大きく、横の窓の高さは1mになった。

展望車両には荷棚がない。座席の下のスペースに荷物を置く。座面のはばは47.5cmで、ロマンスカー史上最大だ。

2018年3月にデビューした最新のロマンスカー。大きな窓から前面に広がる景色が楽しめる展望席が大人気。「箱根に続く時間を優雅に走るロマンスカー」をコンセプトに、VSEやMSEを手がけた岡部憲明がデザインした。

走行地域(区間) 新宿〜箱根湯本

動力 電気　両数 7両

車両おもしろポイント
GSEの登場で、ロマンスカーの乗務員とアテンダントの制服も新しくなった。最近では、車両だけでなく全体でコーディネートするやり方が増えている。

65

小田急電鉄 メトロはこね 70000形

地下鉄を走るただひとつの特急

私鉄 特急

| 最高時速 | 110km | 走行距離 | 104.4km | 座席数 | 578席 |

レア度 ●●
ぜいたく度 ●

愛称
多彩な運行が可能な特急列車という「Multi Super Express」から「MSE」という愛称がある。

性能
地下鉄線内を走るので、故障や事故などのときは先頭車両の非常扉が開き、はしごで車外に出られる。

東京メトロ千代田線に乗り入れる、地下鉄初の特急列車。平日は通勤特急「メトロモーニングウェイ」や「メトロホームウェイ」として、北千住～本厚木間も結ぶ。LEDの間接照明とワインレッドのカーペットで落ち着いた車内だ。

走行地域（区間）
北千住～箱根湯本

動力 電気　両数 10両

車両ざんねんポイント
安全のため地下鉄線内は、非常扉がない列車は走行できない。「MSE」は先頭車両に非常扉をつけた代わりに、ロマンスカーの象徴である展望席がなくなった。

西武鉄道
愛称はニューレッドアロー
ちちぶ 10000系

私鉄 特急

| 最高時速 | 105km | 走行距離 | 76.8km | 座席数 | 406席 |

レア度 ●
ぜいたく度 ● ●

性能
険しい山の区間でも安全に走れるよう、強力なモーターと特別なブレーキを備えている。

愛称
西武の特急10000系は「ニューレッドアロー」と呼ばれている。

ロゴマーク
英語表記の「NEW RED ARROW」の頭文字をとっている。

同じ車両を使い、池袋と飯能を結ぶ「むさし」や西武新宿と本川越を結ぶ「小江戸」も走っている。車内は全て指定席でシートピッチも広く、インターネットの接続サービスもある。平日は通勤客で、土日や祝日は観光客でにぎわう。

走行地域(区間)
池袋〜西武秩父

動力 電気　両数 7両

車両おもしろポイント
10000系が登場する前に初代「レッドアロー」として活躍していた5000系のカラーリングをした車両「レッドアロークラシック」も1編成だけ走っている。

67

JR東海

木曽路の山を越えるスペシャリスト
（ワイドビュー）しなの 383系

最高時速 130km 走行距離 250.8km 座席数 355席
レア度 ● ぜいたく度 ●●●

性能
カーブを通過するときに線路が痛まない自己操舵台車。

車両
大型の窓が続いているため、車窓を存分に楽しめる。

車内
運転席のすぐうしろがグリーン席。パノラマタイプで前方がよく見える。

中央西線と呼ばれる塩尻から名古屋までの区間は、険しい山の中で急カーブの連続。383系はカーブに入る前から車両を少しずつかたむける制御付き振り子機構を採用。カーブでもあまり速度を落とさずに走れるようになった。

走行地域（区間）
名古屋〜長野

動力 電気　両数 6両

車両ざんねんポイント

383系のグリーン車は、貫通型の車両もある。この車両では、先頭の1Aと1Bの座席からは、運転士がかげになって、前方の景色があまりよく見えない。

68

JR東海 特急 （ワイドビュー）ふじかわ 373系

世界遺産の富士山を見ながら

- 最高時速 110km
- 走行距離 122.4km
- 座席数 179席
- レア度 ●●
- ぜいたく度 ●●

デザイン
ワイドビュー車両は大型の窓が連続する。

性能
身延線には高さの低いトンネルがあるため、パンタグラフは小型のシングルアーム式だ。

車内
2、3号車の車端部にある「セミコンパートメント」。

165系という古い車両で走っていた急行「富士川」が、373系にかわり、特急「（ワイドビュー）ふじかわ」として登場。同じ373系の「（ワイドビュー）伊那路」も、飯田線豊橋～飯田間で走っている。車窓からは富士山がよく見える。

走行地域（区間）
静岡～甲府

- 動力 電気
- 両数 3両

車両おもしろポイント
富士山のビューポイントは富士から沼久保までの間。いちばんのおすすめは西富士宮～沼久保間。裾野を広げた富士山を見逃したくなければ、A席に座ろう。

JR東海

飛騨・高山への観光特急

（ワイドビュー）ひだ
キハ85系

- 最高時速 120km
- 走行距離 166.7km
- 座席数 230席
- レア度 ★★
- ぜいたく度 ★★

性能
険しい山でもスピードを出せるよう、アメリカのカミンズ社製大型エンジンを1両に2台搭載している。

デザイン
白い先頭部からJR東海のコーポレートカラーであるオレンジのラインが側面につながる。

座席
パノラマタイプのグリーン車。3列のシートでゆったり座れる。

名古屋や大阪から、高山本線沿いの観光地である飛騨や高山を結んでいる。使用しているキハ85系は、1989年にJR東海が初めて新車両として製作した特急車両。名古屋から紀伊勝浦などを結ぶ「（ワイドビュー）南紀」もある。

走行地域（区間）
名古屋～高山など

動力 ディーゼル
両数 4両

車両おもしろポイント
グリーン車は中間に連結されるタイプもあるが、料金は同じなので、せっかくグリーン車に乗るなら先頭のパノラマタイプの車両でゆったり景色を楽しもう。

富士急行 フジサン特急 8000系

キャラクターは58体

| 最高時速 | 60km | 走行距離 | 26.6km | 座席数 | 150席 |

レア度 ●●○○
ぜいたく度 ●●○

デザイン
車体に描かれたフジサンのキャラクターは全部で58体。

性能
車両はもともと小田急でロマンスカー「RSE」として走っていた20000形。富士急行へゆずられ、リニューアルされた。

2016年までは元JR東日本の165系を改造した2000系が運行していた。

車体に描かれたフジサンのキャラクターは、全てちがう。指定席の1号車には最前列にラウンジがある。子ども向けの運転台もあって、チビッコに大人気。河口湖に近づくにつれて、車窓から見える富士山が大きくなるぞ。

走行地域（区間）
大月～河口湖

動力 電気　両数 3両

車両おもしろポイント
フジサンは、2000系に描かれていたキャラクターを合わせると全部で101体。全てに名前があり、しかもそれぞれの性格まで考えられている。

71

長野電鉄
元成田エクスプレスが信州を走る
私鉄特急 スノーモンキー 2100系

- 最高時速 90km
- 走行距離 33.2km
- 座席数 134席
- レア度 ●●●
- ぜいたく度 ●●

車内
グリーン個室「Spa猿～ん」は、4人まで1室1000円で利用できる。きっぷは当日、始発駅で購入できる。

車両
JR東日本の「成田エクスプレス」として走っていた253系をリニューアル。

E1編成は「N'EX」のオリジナルカラー。

近くにある地獄谷温泉の露天風呂に入る野生の猿が、スノーモンキーと呼ばれて有名になったことから、この愛称がついた。「成田エクスプレス」として走っていたときと同じE1編成と、車両の横が赤と白になったE2編成がある。

走行地域（区間）
長野〜湯田中など

- 動力 電気
- 両数 3両

車両おもしろポイント
長野電鉄には小田急電鉄を走っていたロマンスカーをリニューアルした特急「ゆけむり」も運転され、元「成田エクスプレス」とともに第2の人生を送っている。

名古屋鉄道 中部国際空港セントレアへのアクセス特急

私鉄特急

ミュースカイ 2000系

| 最高時速 | 120km | 走行距離 | 69.4km | 座席数 | 181席 |

レア度 ●
ぜいたく度 ●●

性能
空気ばねを使用した車体傾斜装置が取り入れられ、カーブでは最大2度車体をかたむけて走行する。

ロゴマーク
中部国際空港の愛称「セントレア」を英語で表記している。

中部国際空港を利用する人のための特急として登場。最初は3両だったが人気が高く、その後、4両編成になった。広がる空と深い海をイメージした青と白のカラーリングで、中部国際空港〜名古屋間を最速28分で結ぶ。

走行地域（区間）
中部国際空港〜新鵜沼など

車両おもしろポイント
セントレアへは2200系を使用した一般の特急も走行。外観は「ミュースカイ」とそっくりだが、先頭部とラインが「スカーレットレッド」だ。

動力 電気　両数 4両

73

名古屋鉄道 パノラマsuper 1000系

リニューアルした名鉄の主力特急

私鉄特急

- 最高時速 120km
- 走行距離 99.8km
- 座席数 108席
- レア度 ●●
- ぜいたく度 ●●

車体
岐阜側の4両は、特別車両券(ミューチケット)のいらない1200系が連結されている。

展望席
最前列は大きな窓が広まってのび、空まで楽しめる。

「パノラマsuper」は名鉄を代表する特急列車の愛称で、時刻表や駅などでは「一部特別車」特急と案内されている。豊橋側の2両が特別車で、先頭車の一部は運転室の上にあるハイデッカーの展望席。階段状に座席が並んでいる。

走行地域(区間)
豊橋〜名鉄岐阜など

動力 電気 / 両数 4両

車両ざんねんポイント
予約のときには、必ず窓口の人に「パノラマスーパーに乗りたい」と伝えよう。せっかくいちばん前の席が予約できても展望席ではないこともある。

富山地方鉄道
雄大な富山の大自然を楽しむ
アルプスエキスプレス 16010系

- 最高時速 95km
- 走行距離 53.3km
- 座席数 131席
- レア度 ★★★
- ぜいたく度 ★★

デザイン
JR九州の車両を数多くデザインした水戸岡鋭治によるデザイン。

車内
2号車はほとんどの座席が山側を向いていて、大きな窓から景色が一望できる。

車内
1号車と3号車は自由席だが、大きなテーブルのある4人掛けのコンパートメントシートもある。

西武鉄道で「レッドアロー」として活やくしていた5000系をリニューアルして誕生。外観は以前のふんいきを残しているが、車内はガラリと変化。木を中心とした内装で、カップルシートやサービスコーナーなどもつくられた。

走行地域（区間）
電鉄富山〜宇奈月温泉など

- 動力 電気
- 両数 3両

車両おもしろポイント
富山地方鉄道には、もと京阪電鉄で2階建て車両つきの特急として走っていた3000系をリニューアルした「ダブルデッカーエキスプレス」も走っている。

鉄道なんでもランキング

新幹線 スピードトップ3

北海道、本州、九州を走る新幹線。魅力は何と言っても、その速さだ。スピード王にかがやいたのは、東北地方を走りぬける、「はやぶさ」「こまち」！

1位 最高時速 **320km**
H5系はやぶさ、E6系こまち、E5系はやぶさ

H5系はやぶさ P14参照　第1位は3種類の新幹線。すべて東北地方を走る新幹線だ。

E6系こまち P18参照　　E5系はやぶさ P19参照

2位 最高時速 **300km**
N700A のぞみ
N700系 みずほ・さくら P24、28参照

先頭車両は、鳥が羽根を広げたような形で、風をにがして走る。

N700A

3位 最高時速 **285km**
500系こだま、700系ひかり、
ひかりレールスター P26、27参照

500系こだま

500系は、速度重視でつくられた新幹線だ。

スピード、座席数、運行距離など、
いろいろなランキングをしょうかい！

新幹線 座席数トップ3

新幹線は大人数を運べる列車。いったいどのくらいの人を運べるのだろう？
1位は、上越新幹線のE4系！2階建ての「Maxとき」や「Maxたにがわ」だ！

1位 1634人 E4系（16両編成）
P20参照

普通車自由席

2階席の1〜3（9〜11）号車は、座席が左右3列ずつならぶ。通常8両編成だが、混み合う朝夕の時間帯は、連結して16両編成になる。

2位 1323人 N700A、700系（16両編成）
P24、28参照

N700A普通車

あざやかな青いシートがならぶN700A。床は吸音構造になっていて、走行中でも車内は静か。

3位 934人 E7系、W7系（12両編成）
P16参照

E7系普通車

グレーと赤のシートに、床は木の色味で落ち着いたふんいき。

77

新幹線 走行距離トップ3

日本初の開業は東海道新幹線。その後、山陽新幹線が開業、東海道新幹線と直通になったことで走行距離をのばして、東海道・山陽新幹線が第1位！

1位 1174.9km
東海道・山陽新幹線のぞみ〈東京〜博多〉
P24参照

東京から本州を西に横断、九州の入り口、福岡県の博多までを、最短4時間46分で結ぶ。

3位 894.2km
東海道・山陽新幹線ひかり〈広島〜東京〉

「ひかり」は広島〜東京間を走る。所要時間は最短5時間14分。

2位 911.2km
山陽・九州新幹線 みずほ・さくら〈新大阪〜鹿児島中央〉
P28参照

新大阪から新幹線の日本最南端、鹿児島中央までを最短3時間41分で結ぶ。

新幹線 顔の長さトップ3

新幹線の特ちょうでもある先頭車両。長さのダントツは、日本最速の最高時速320kmをほこる、H5系とE5系!

「顔」とは?

新幹線の先頭車両、運転席のとびらから先のこと。運転速度が速いぶん、空気抵抗を少なくするために、形状を進化させてきた。

1位 12.400m
H5系・E5系 P14、19参照

先頭車両のデザインは、トンネル突入時の音やゆれをおさえる。トンネルの多い東北新幹線では重要ポイントだ。

2位 10.930m
E6系 P18参照

H6系はH5系を手本に作られたので形が似ている。H5系、E5系と連結する。

3位 10.235m
500系 P30参照

とがった先頭車両が特徴。正面から見るとほかの新幹線より丸い。

79

鉄道なんでもナンバーワン

日本一、日本初、鉄道にかかわるいろいろなナンバーワンを集めたよ。キミのまわりには、どんなナンバーワンがある?

① 日本一の急な坂を進む

高尾登山電鉄
ケーブルカー(東京都)

高尾山のふもとの清滝駅から山腹の高尾山駅をむすぶ。最も急な坂はおよそ31度で、日本のケーブルカーで最も急勾配だ。

31度!

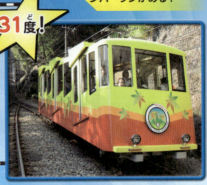

地下 42.3m!

② 日本一深い駅を走る地下鉄

大江戸線(東京都)

都営地下鉄大江戸線はほかの地下鉄よりあとにできたので、より深い場所につくられた。いちばん深いのは六本木駅で、地下42.3mにホームがある。

③ 日本一長い名の駅

南阿蘇水の生まれる里白水高原駅(熊本県)
長者ヶ浜潮騒はまなす公園前駅(茨城県)

ひらがなにすると22文字。2つとも、日本でいちばん長い駅名だ。ちなみに、日本でいちばん短い駅名は、三重県の「津駅」だ。

22文字!

1927年！

🚇 日本初の地下鉄
銀座線（東京都）

銀座線は、1927年に開通した日本ではじめての地下鉄。当時は東京都の浅草駅と上野駅を結んでいた。1000系の車両は、2012年4月から走っている。

標高 1345.67m！

🚆 日本一高い駅がある路線
小海線

JR小海線野辺山駅（長野県）の標高は1345.67mで、普通鉄道の駅でいちばん高い場所にある。ちなみにいちばん高い地点は清里〜野辺山間にあり、1375mだ。

🚉 日本一古い駅舎
亀崎駅（愛知県 JR武豊線）

1886年に誕生した亀崎駅は、現在も利用されている駅舎のなかで、いちばん古い駅舎といわれている。

1886年！

| JR西日本 | 北陸本線を代表する特急 |

特急

サンダーバード 683系

| 最高時速 | 130km | 走行距離 | 267.6km | 座席数 | 546席 |

レア度 ●
ぜいたく度 ●●●

車体
金沢側の1号車はグリーン車。貫通型のタイプの車両もある。

ロゴマーク
「カッパー（銅色）」を使った、動きのあるロゴマーク。

デザイン
ホワイトボディにブルーのラインが入り、大きな窓がより強調されている。

関西と石川県の金沢や和倉温泉を結び、通勤客や旅行客を運ぶ。1日に24往復運転され、北陸本線を代表する特急だ。2009年には683系4000番台も登場し、今まで走っていた車両も座席やトイレなどがリニューアルされた。

走行地域（区間）
大阪〜金沢など

動力 電気　両数 9両

車両おもしろポイント
上りの「サンダーバード」はループ線を進んで坂を登る。途中、右側にあるはずの海が左側に見えるので、線路がぐるりと回っていることがわかる。

82

JR西日本
ブルーにオレンジ色のラインカラー
しらさぎ 681系

| 最高時速 | 130km | 走行距離 | 256.5km | 座席数 | 354席 |

レア度 ●●
ぜいたく度 ●●●

車体
米原側の先頭車は、乗客の多い時期には車両を連結しても人が通りぬけできるように、貫通扉がついている。

ライン
ブルーのラインの下にオレンジのラインが入っているのが「サンダーバード」とのちがいだ。

おもに中京地区と北陸を結んでいる。681系はJR西日本で初めてVVVFインバータ制御を採用した車両。列車は一部683系8000番台でも運転され、681系とともに特急「ダイナスター」や「能登かがり火」として走ることもある。

走行地域（区間）
名古屋〜金沢など

動力 電気　両数 6両

車両ざんねんポイント
681系や683系8000番台は、特急「はくたか」として国内最高時速160kmで走っていたが、北陸新幹線が金沢まで開業した後、在来線「はくたか」は廃止された。

JR西日本 / 紀州を走る3兄弟

くろしお 289系

特急

- 最高時速 130km
- 走行距離 181.3km
- 座席数 348席
- レア度 ●●
- ぜいたく度 ●●

車体
1両の半分がグリーン車になっている先頭車は非貫通形。先頭車が普通車の場合は貫通形だ。

性能
289系は「しらさぎ」として走っていた交直流電車683系2000番台を、直流電車に改造した車両。

ライン
「オーシャングリーン」のラインは「くろしお」の専用車両。

84

287系 683系4000番台を基本に、2010年に登場した新型車両。全ての車両の片側の台車だけにモーターがついている。

283系 イルカをイメージした先頭部が特ちょうで、愛称は「オーシャンアロー」。JR西日本の車両で初めてシングルアーム式のパンタグラフがついた。

愛称のとおり黒潮が流れる太平洋沿いを走る特急で、289系のほか、287系や283系でも運転され、バラエティに富んでいる。どの車両も南紀や白浜などのリゾート地へ向かう特急としてふさわしい、さわやかなデザインだ。

走行地域（区間） 新大阪〜白浜など

動力 電気 **両数** 6両

車両おもしろポイント 289系への改造後、グリーン車の全席にコンセントがつき、普通車の足元も広がり、女性専用車いす対応トイレも設置。683系よりグレードアップした。

はるか 281系

JR西日本 / JRの関空アクセス特急

| 最高時速 | 130km | 走行距離 | 99.5km | 座席数 | 248席 |

レア度 ● ／ ぜいたく度 ●●

車内
空港アクセス特急なので、大型のスーツケースも置ける広い荷物棚がある。

性能
乗客が乗り降りする扉も広く、大きな荷物でも持ちこびしやすい。

ライン
関空のテーマカラーでもあるブルーのラインカラー。

関西国際空港オープンに合わせて1994年に登場したJRの関空アクセス特急。空港を利用する人のために、自動放送は日本語や英語、中国語、韓国語で表示される。車内でインターネットに接続するサービスも利用できる。

走行地域（区間）
京都〜関西空港など

動力 電気 / 両数 6両

車両おもしろポイント
JR阪和線の日根野駅から関西空港駅の間は関西国際空港連絡橋を渡る。ここは南海電鉄と同じ線路のため、普段見られない南海電車とすれちがうことも。

JR西日本
KTR8000形でも走る
まいづる 287系

| 最高時速 | 130km | 走行距離 | 102.6km | 座席数 | 178席 |

レア度 ●●○
ぜいたく度 ●●●

車体: 「丹後の海」と呼ばれるKTR8000形。

ライン: 北近畿エリアを走る列車はラインがえんじ色だ。

性能: 「きのさき」や「はしだて」と連結して走るため、貫通形の先頭車だ。

全ての列車が京都〜綾部間を「はしだて」や「きのさき」と連結し走行。グリーン車はなく、指定席車2両と自由席車1両の3両編成。途中の綾部でスイッチバックし、進行方向が変わる。京都丹後鉄道KTR8000形も運転している。

走行地域（区間）: 京都〜東舞鶴

動力 電気 両数 3両

車両ざんねんポイント: KTR8000形は、北近畿タンゴ鉄道のときは「タンゴディスカバリー」と呼ばれていた。2015年に京都丹後鉄道になり、「丹後の海」として生まれ変わった。

87

JR西日本 — 福知山線を走る北近畿特急

こうのとり 289系

- 最高時速 130km
- 走行距離 118.0km
- 座席数 220席
- レア度 ●●○
- ぜいたく度 ●●○

車体
車体は683系のままで、アルミ製のダブルスキン構造。

車体
287系の先頭車両は貫通形のみ。

デザイン
683系からの改造の際、屋根や床下の不要な機器類も取り外された。

北近畿へ向かう4特急のうち、ただひとつ山陰本線ではなく福知山線を通る列車。愛称は沿線の兵庫県豊岡市に生息するコウノトリから名付けられた。車両は683系を改造した289系のほか、287系でも運転されている。

走行地域（区間）
新大阪〜福知山など

動力 電気　両数 4両

車両ざんねんポイント
北陸新幹線の開業後、金沢〜富山間を走る特急がなくなった。そこで「しらさぎ」として走っていたほとんどの車両は289系に改造されてしまった。

はまかぜ キハ189系

JR西日本 特急
半世紀もの歴史を刻む

- 最高時速 130km
- 走行距離 264.9km
- 座席数 156席
- レア度 ●●
- ぜいたく度 ●●

車内: 683系などと同じように、大型のリクライニングシートが並ぶ。座席の色も「茜色」だ。

性能: 車体は軽量ステンレス製で、先頭部は衝突したときなどの安全性を高めるため、強度が強化されている。

1972年に誕生した歴史ある特急で、現在使用されているキハ189系は「はまかぜ」専用車両として登場した。グリーン車の設備はなく、普通車のみの編成だ。冬の時期には臨時特急「かにカニはまかぜ」も運転されている。

走行地域（区間）: 大阪～鳥取など

動力: ディーゼル
両数: 3両

車両おもしろポイント: 「はまかぜ」が走る山陰本線にはトレッスル橋の余部橋梁がかかっていた。今は二代目のコンクリート橋に変わったが、一部は「空の駅」として残っている。

近畿日本鉄道
私鉄 特急
伊勢志摩へぜいたくな旅
しまかぜ 50000系

- 最高時速 130km
- 走行距離 195.2km
- 座席数 138席
- レア度 ●●●
- ぜいたく度 ●●

デザイン
「アーバンライナー」を担当した山内陸平がデザインを監修。

展望車両
1、6号車はハイデッカーの展望車両。床が72cm高くつくられているので、ながめがよい。

6 次は 宇治山田

運転席
先頭部は6面のガラスを使った多面体。大きな窓から光が入り、明るい。

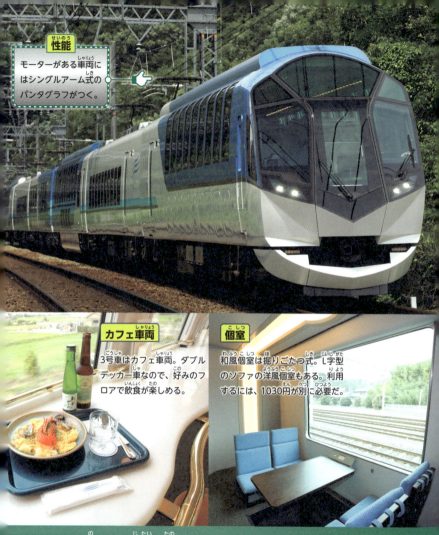

性能
モーターがある車両にはシングルアーム式のパンタグラフがつく。

カフェ車両
3号車はカフェ車両。ダブルデッカー車なので、好みのフロアで飲食が楽しめる。

個室
和風個室は掘りごたつ式。L字型のソファの洋風個室もある。利用するには、1030円が別に必要だ。

コンセプトは「乗ること自体が楽しみとなる」鉄道の旅。展望車両や個室、カフェなど車内設備は豪華で、ワンランク上の旅が楽しめる。車両は伊勢志摩の晴れやかな空をイメージし、ブルーをメインにしたカラーリングだ。

走行地域（区間）
京都〜賢島など

動力 電気　両数 6両

車両おもしろポイント
1号車と6号車の展望車両はハイデッカー車。大きな荷棚がつくれないため、デッキにはスーツケースも収まる大型の無料ロッカーが席数分ある。

近畿日本鉄道

私鉄 特急

赤と黄色のカラーバリエーション

伊勢志摩ライナー 23000系

最高時速 130km　走行距離 176.9km　座席数 273席

レア度 ●●●　ぜいたく度 ●●

車体
先頭部は42度の角度がついた流線形。

車体
偶数の編成の色は「サンシャインイエロー」。

座席
織物のシートが並ぶ「デラックスカー」。

伊勢志摩の景色を楽しめるリゾート特急で、近鉄で初めて時速130kmで運転された。車内は「デラックスカー」のほか、コンパートメントタイプの座席がある「サロンカー」と、一般的な「レギュラーカー」の3タイプがある。

走行地域（区間）
大阪難波〜賢島など

動力 電気　両数 6両

車両おもしろポイント
「伊勢志摩ライナー」の特ちょうのひとつが、1号車と6号車の運転席後ろにある「パノラマデッキ」。パノラマビューは、スピードを感じられる。

近畿日本鉄道

「ネクスト」と「プラス」、2種類の名阪特急

アーバンライナー・ネクスト 21020系

- 最高時速 130km
- 走行距離 189.7km
- 座席数 302席
- レア度 ●●●●○
- ぜいたく度 ●●○○○

座席
「デラックスカー」は3列の座席全てが独立している。

車体
21000系をリニューアルした「アーバンライナー・プラス」。

デザイン
運転席には大型の曲面窓。上下を黒くして一体感を出している。

名古屋と大阪を結ぶ名阪特急のなかでも、もっともグレードの高い特急だ。「ネクスト」と呼ばれる車両の登場に合わせて、それまで走っていた車両もリニューアルされ、「プラス」と呼ばれる車両に生まれ変わった。

走行地域（区間）
大阪難波〜近鉄名古屋など

- 動力 電気
- 両数 6両

車両ざんねんポイント
「アーバンライナー・プラス」は11編成で「アーバンライナー・ネクスト」は2編成。どちらの車両が来るかは運次第。「ネクスト」車両に乗れたらラッキーだ。

93

近畿日本鉄道 3代目のビスタカー

ビスタEX (イーエックス)
30000系

| 最高時速 | 120km | 走行距離 | 176.9km | 座席数 | 272席 |

レア度 ●●
ぜいたく度 ●●

車体
ダブルデッカーは中間の2両。

愛称
現在の塗装にリニューアルされた車両を「ビスタEX」と呼ぶ。

座席
ダブルデッカーの1階はサロン風の客室で、3人以上のグループの専用席だ。

近鉄の2階建て車両は「ビスタカー」と呼ばれている。1978年に登場してから2回リニューアルされ、現在は3代目。窓を大きくした2階席はながめが良い。名古屋〜大阪間など、さまざまな路線で活やくしている。

走行地域（区間）
大阪難波〜賢島など

動力 電気　両数 4両

車両おもしろポイント
外観などをかえ始めた近鉄特急。22000系の「ACE(エース)」から始まり、12400系「サニーカー」などの車両も、「ビスタEX」のようなデザインにかわっている。

近畿日本鉄道
南大阪線を走る観光特急

さくらライナー
26000系

私鉄特急

| 最高時速 | 110km | 走行距離 | 64.9km | 座席数 | 180席 |

レア度 ●●●
ぜいたく度 ●●

車内
1号車と4号車には「展望スペース」があり、桜の花びらの形をしたいすもある。

デザイン
桜をイメージさせるピンクのライン。

車体
多くの近鉄路線に比べて線路のはばのせまい南大阪線を走るので、台車や車体もほかの特急車両より小さいつくりだ。

美しい桜の景色が有名な吉野へ向かうことから、「さくらライナー」と呼ばれている。車両がリニューアルされ、「アーバンライナー・プラス」と似た設備になり、3列のシートが独立している「デラックスシート」も加わった。

走行地域（区間）
大阪阿部野橋〜吉野

動力 電気　両数 4両

車両おもしろポイント
「さくらライナー」が走る南大阪線や吉野線などは、はばが1067mmでJRと同じ。1435mmある近鉄大阪線や近鉄奈良線など多くの近鉄路線よりもせまい。

95

南海電鉄　私鉄　特急

デザインの常識を超えた鉄道車両
ラピート
50000系

最高時速	走行距離	座席数
120km	42.8km	252席

レア度　●●〇
ぜいたく度　●●〇

デザイン
車体は「ラピートブルー」と呼ばれる色で、鉄道車両ではめずらしい塗料を使用。角度によって色も輝きもちがって見える。

2両ある「スーパーシート」。はばが485mmある大型のシートが3列並び、シートピッチは1200mm。

インテリア

「ラピート」は、「速い」という意味のドイツ語。球形の運転席から飛び出る立体的なノーズは力強さと速さを感じさせ、まるで鉄仮面のよう。円状に散らばった3つのライトや飛行機のようなだ円形の客室窓なども特ちょう的だ。

走行地域（区間）
なんば～関西空港

動力 電気　**両数** 6両

車両おもしろポイント
紺色の1色で塗られた「ラピート」だが、車体にラッピングをして赤やピーチ、黒の「ラピート」が登場し、話題となった。次は何色が登場するだろう。

南海電鉄 私鉄 特急
山の路線のスペシャリスト
こうや 31000系

- 最高時速 100km
- 走行距離 63.7km
- 座席数 206席
- レア度 ●●●●○
- ぜいたく度 ●●○○○

デザイン
高野線を走るほかの特急車両と同じく、アイボリーホワイトとワインレッドのカラーリング。

性能
険しい山を登るため、全車両がモーター付き。

車体
急カーブもスムーズに走れるように、1両の長さは普通より3m短い17m。

世界遺産でもあり、有名なお寺が多い高野山を観光する人たちのための特急で、デビューは1952年と歴史が古い。現在の31000系は1999年から走りはじめ、非貫通形の30000系で「こうや」として運転される列車もある。

走行地域（区間）
なんば～極楽橋

- 動力 電気
- 両数 4両

車両ざんねんポイント
31000系や30000系と同じく特急「りんかん」として運転される11000系は車両が長く、途中にある急カーブが曲がれないため「こうや」としては走らない。

97

サザン・プレミアム

南海電鉄 私鉄 特急
1クラス上の移動空間
12000系

- 最高時速 110km
- 走行距離 64.2km
- 座席数 242席
- レア度 ●●●
- ぜいたく度 ●●

デザイン
「サウスウエイブ」というコンセプト。ブルーとオレンジのラインで波をイメージ。

ロゴマーク
ステンレス製のエンブレムが和歌山側の先頭車についている。

性能
車体や機械などは8000系という通勤型車両にならってつくられた。

10000系の特急「サザン」より、さらに快適な移動空間をめざしてつくられた12000系を使用。全ての座席にコンセントがつき、バリアフリーにも対応した。必ずほかの形式の自由席車両と連結して運転される。

走行地域（区間）
なんば～和歌山市など

動力 電気
両数 4両

車両おもしろポイント
車内を快適にするため、全ての車両の天井に「プラズマクラスター」という技術の装置を取り付け、イオンを発生させて車内の空気を清潔にしている。

智頭急行 スーパーはくと HOT7000系

陰陽連絡の高速化を実現

三セク 特急

| 最高時速 | 130km | 走行距離 | 293.3km | 座席数 | 248席 |

レア度 ●●
ぜいたく度 ●●●

性能
各車両に355馬力のエンジンが2基ずつあり、気動車特急最速の時速130kmで走る。

性能
「制御付き自然振り子機構」によってカーブに入る前から車体をかたむけられる。

智頭急行の路線が開通したときに登場した、山陰と山陽を結ぶ陰陽連絡特急。智頭急行線ができたおかげで、京阪神と鳥取県を結ぶ時間が大はばに短縮された。愛称は鳥取県に伝わる神話「因幡の白兎」からつけられている。

走行地域（区間）
京都〜倉吉など

動力 ディーゼル
両数 5両

車両ざんねんポイント
智頭急行線には恋山形という、恋がかなうとされる駅がある。ただし「スーパーはくと」はこの駅にとまらない。

JR西日本

初代振り子式車両が健在

特急 やくも 381系

- 最高時速 120km
- 走行距離 220.7km
- 座席数 206席
- レア度 ●●○
- ぜいたく度 ●●●

車体
出雲市側の一部の先頭車は、大きな窓でながめのよいパノラマ型グリーン車で運転される。

性能
JRになる前に開発された「自然振り子機構」で走る、ただひとつの車両。

愛称
リニューアルされて車内が快適になったので「ゆったりやくも」とも呼ばれている。

岡山と山陰地方を結ぶ陰陽連絡特急のひとつ。車両の381系は日本初の振り子式車両。カーブでは車両がかたむいて走るので、ほとんどの機械類が床の下に取り付けられ、屋根にあるのはパンタグラフだけでスッキリしている。

走行地域（区間）
岡山～出雲市

- 動力 電気
- 両数 4両

車両ざんねんポイント
「自然振り子式」だとカーブが終わっても車両がゆれているため、乗り心地が悪い。最近では機械で調整する「制御付き自然振り子式」が増えている。

100

スーパーまつかぜ キハ187系

JR西日本「特急」
山陰の都市を高速で結ぶ

- **最高時速** 120km
- **走行距離** 284.2km
- **座席数** 118席
- **レア度** ●●
- **ぜいたく度** ●●

性能
加速のよい450馬力のエンジンを1両につき2基積んでいる。

性能
カーブの多い山陰本線を走るため、制御付き自然振り子機構を取り入れている。

デザイン
高速で走るため周りの人に注意をうながすよう前面は黄色に塗られている。

車両はキハ187系でグリーン車の設備はないが、鳥取〜新山口間などを結ぶ「スーパーおき」や、岡山〜鳥取間の「スーパーいなば」としても走る。車両の側面には、ボタンやナシのロゴマークがついている。

走行地域（区間）
鳥取〜益田など

動力 ディーゼル
両数 2両

車両ざんねんポイント
高速運転が可能な山陰本線や、智頭急行線では振り子式機構を使って走るキハ187系。だが、線路などのつくりが古い場所では、振り子式機構が使えない。

101

JR東海・西日本 | 日本でただひとつの寝台特急 ※データは全てサンライズ瀬戸です

特急 サンライズ瀬戸・出雲 285系

- 最高時速 130km
- 走行距離 804.7km
- 座席数 150席
- レア度 ●●●○
- ぜいたく度 ●●●

車両
東京〜岡山間は「サンライズ出雲」と連結して走るため、先頭部は貫通形だ。

ロゴマーク
朝日が海からのぼるようなデザイン。

102

> **性能**
> 多くの寝台特急が機関車にひかれる客車だったのに対し、電車のため、スピードアップができた。

東京でねむって
めざめたら香川県！

シングルデラックス
285系で最高級のA寝台。2階にあり、専用の机や洗面台がある。

シャワー室
シャワーは有料で、6分間お湯が出る。シャワーカードを買って使う。

サンライズツイン
ひとり用の個室が多い中、ふたりで使える個室寝台。友だちどうしやカップルに人気がある。

ノビノビ座席
ベッドはなく、カーペットで、大人がひとり横になれる広さ。

日本でただひとつの定期運行の寝台特急車両の285系は、全ての寝台が個室。車内は住宅メーカーと共同で開発し、木のふんいきがたっぷりで温かい印象だ。東京〜出雲市間を「サンライズ出雲」としても走っている。

走行地域（区間）
東京〜高松

動力 電気　両数 7両

車両おもしろポイント
「サンライズ瀬戸・出雲」には、カーペットの「ノビノビ座席」がある。横になれるし毛布もあり、指定席料金で利用できるので、学生などに人気が高い。

103

JR四国 特急 しおかぜ 8600系

瀬戸内を走る「レトロフューチャー」

- 最高時速 130km
- 走行距離 214.4km
- 座席数 254席
- レア度 ●●○
- ぜいたく度 ●●●

デザイン
先頭部に描かれた黒い大きな円は蒸気機関車をイメージし、力強さを表現している。

性能
JR四国で初めて、空気ばね式車体傾斜機構がつけられた。

運転席

貫通路があるため、せまい。

先頭部のデザインは「レトロフューチャー」がテーマ。未来と昔のイメージを組み合わせて考えられた。シングルアーム式のパンタグラフも、JR四国の特急としては初。高松～松山間を「いしづち」としても走っている。

走行地域(区間)
岡山～松山

動力 電気　両数 5両

車両おもしろポイント
車体のオレンジとグリーンのラインは、沿線の「愛媛」と「香川」をイメージした色。普通車の車内も、座席がオレンジとグリーンに色分けされている。

104

JR四国
四国を走る次世代特急型車両
うずしお 2600系

- 最高時速 120km
- 走行距離 74.5km
- 座席数 98席
- レア度 ●●●●
- ぜいたく度 ●●

性能
JR四国のディーゼルカーでは初めて取り付けられた空気ばね式車体傾斜機構。

ヘッドマーク
貫通扉にありLEDで表示される。

デザイン
おめでたいときに使われる日本の伝統色である赤と金色のライン。

「Neo Japonisme」をテーマに、日本の伝統的な飾りつけなどを現代風にアレンジしてデザインされた2600系。現在は高松〜徳島間を走る「うずしお」のみで使用され、岡山まで行く列車は2000系で運転されている。

走行地域（区間）
高松〜徳島など

動力 ディーゼル

両数 2両

車両おもしろポイント
2600系のトイレは車いすに対応した多機能タイプと洋式、男性用の3種類。特に多機能タイプはベビーベッドやフィッティングボードなどもあり、便利だ。

JR四国 アンパンマンと楽しく遊べる
特急 剣山 キハ185系

- 最高時速: 110km
- 走行距離: 74.0km
- 座席数: 124席
- レア度: ●●●○
- ぜいたく度: ●●○○○

性能
日本で初めて車体にステンレスを使用した特急用の気動車。

デザイン
JR四国の色である水色を使ったカラーリング。

ヘッドマーク
四国を代表する名山としてマークにも山の絵が描かれている。

ゆうゆうアンパンマンカー
土日や休日をはじめ、ゴールデンウイークや夏休みの、乗客の多い時期には、「ゆうゆうアンパンマンカー」を連結した列車が2往復だけ運転されている。

みんなであそぼう
ゆうゆうアンパンマンカー

アンパンマンシート
森をイメージした指定席。「プレイルーム」で遊ぶには、ここの指定席券が必要。

プレイルーム
車内の半分が「プレイルーム」。

愛称は、西日本で2番目に高い山の剣山から名付けられた。車両はキハ185系で、四国各地の編成が短い特急に多く使われている。土曜や休日には一部の「うずしお」とともに「ゆうゆうアンパンマンカー」を連結した列車も走る。

走行地域（区間）
徳島～阿波池田

動力 ディーゼル

両数 2両

車両ざんねんポイント

「あさま」「たにがわ」「いしづち」など、愛称に地名がつく特急は多く、この「剣山」もそのひとつ。しかしほかの列車とちがって、列車から剣山は見えない。

107

JR四国
土讃線を走る古参特急
特急 南風 2000系

| 最高時速 | 120km | 走行距離 | 179.3km | 座席数 | 154席 |

レア度 ●●○
ぜいたく度 ●●○

車両
非貫通形の先頭車はグリーン車と普通車の半室タイプ。普通車のみの貫通形先頭車もある。

性能
ディーゼルカーとして世界で初めて制御付き自然振り子機構が取り入れられた。

アンパンマン列車
アンパンマン列車で運転することもある。

1972年にデビューした、四国でもっとも古い特急のひとつ。急な坂や急カーブが続く土讃線を、振り子式の気動車2000系で走る。岡山から土佐くろしお鉄道を経由し宿毛とを結ぶ12号と13号は、四国で最長距離を走る特急だ。

走行地域（区間）
岡山～高知など

動力 ディーゼル
両数 3両

車両おもしろポイント
一部の列車は、車内も外観もアンパンマンでいっぱいの「アンパンマン列車」で運転している。1号車はパン工場をイメージした「アンパンマンシート」だ。

JR九州
長崎を舞う白いかもめ
かもめ 885系

| 最高時速 | 130km | 走行距離 | 153.9km | 座席数 | 302席 |

レア度 ●●
ぜいたく度 ●●

性能
長崎本線は急カーブが多いため、制御付き自然振り子機構が組みこまれている

インテリア
普通車も革張りで豪華。

「かもめ」をスピードアップさせるために開発された885系。以前は黄色いラインだったが、のちに登場した「ソニック」色のブルーに変更。時刻表などでは「白いかもめで運転」と書いてある。787系や783系でも運転される。

走行地域（区間）
博多〜長崎など

動力 電気 両数 6両

車両おもしろポイント
「かもめ」として登場した885系は「ソニック」の車両とちがいワイパーの数が3本で、先頭部のエンブレムが「かもめ」なので、よく見るとわかる。

109

JR九州 特急
音速で駆けるワンダーランドエクスプレス
ソニック 883系

- 最高時速 130km
- 走行距離 200.1km
- 座席数 349席
- レア度 ●●
- ぜいたく度 ●●

愛称
愛称の「ソニック」とは英語で「音速の」という意味。885系は「白いソニック」と呼ばれる。

デザイン
メカニカルなデザインが人気。鉄道車両におくられるブルーリボン賞を受賞。

性能
JR九州の特急で初の制御付き自然振り子機構を使用。これは885系に受けつがれた。

グリーン車
車両の半分が普通車の半室タイプで、本革シートが並ぶ。

普通車
ミッキーマウスの耳のようなヘッドレストが並ぶ楽しい座席。

カーブの多い日豊本線でもスピードアップできるよう、振り子式の車両で走っている。前面の特徴的なデザインだけでなく、今までの特急とはひとあじちがう、大人っぽい車内だ。885系でも運転されている。

走行地域（区間）
博多～大分など

動力 電気　**両数** 7両

車両おもしろポイント
883系の普通車の中には、外観や内装が885系と同じつくりの車両もあり、ほかの車両に比べて窓が小さい。これが見分けられたら883系博士だ。

111

JR九州
特急 ハウステンボス 783系

日本最大級のテーマパークへ向けて

| 最高時速 | 130km | 走行距離 | 112.8km | 座席数 | 219席 |

レア度 ●●
ぜいたく度 ●●

車両
4号車は中間車の車両を改造して運転台をつけた貫通形の車両。

ロゴマーク
「HUIS TEN BOSCH」とオランダ語で書かれている。

長崎県のテーマパーク「ハウステンボス」へ向かう人を運ぶために登場した。783系は1988年、国鉄からJRに変わってから最初につくられた特急車両。乗降扉が真ん中の1か所だけで、前後でA室、B室とに分けられている。

走行地域（区間）
博多～ハウステンボス

車両おもしろポイント
多くが「みどり」と連結する「ハウステンボス」。以前は「みどり」や「かもめ」と3連結して走った。3つの列車がいっしょになって走るのはめずらしかった。

動力 電気　両数 4両

JR九州 特急 有明 787系

特急なのに1日1本の運行

| 最高時速 | 130km | 走行距離 | 69.3km | 座席数 | 340席 |

レア度 ●●●○
ぜいたく度 ●●○○○

ロゴマーク
「INTERCITY AROUND THE KYUSHU」と書かれたロゴマークがあちこちにつけられている。

DXグリーン
ベッドのようにシートがかたむく。1編成に3席しかない。

車内
ビュッフェだった車両を普通車に改造。天井のつくりに、その名残がある。

かつては鹿児島本線を32往復も走り、日本を代表する特急だった。787系「つばめ」の登場で、本数が激減。その後は通勤特急となり、ついには1本のみの片道特急になった。車両の787系は、九州各地の特急で活やくしている。

走行地域（区間）
大牟田→博多

動力 電気　**両数** 7両

車両ざんねんポイント
「DXグリーン」のほか、「グリーン個室」がある。しかし1時間もかからないうちに終点に着くし、個室は4人用なので、利用している人を見たことがない。

113

にちりんシーガイア

JR九州 特急 — 昼間の特急としては日本最長 — 783系

- 最高時速 130km
- 走行距離 413.1km
- 座席数 280席
- レア度 ●●○
- ぜいたく度 ●●○

車両
車体は軽量ステンレスでできている。

デザイン
先頭部は、大きな3枚の窓が並んでいる。運転室の後ろの窓も大きく、前の景色がよく見える。

愛称
783系は「ハイパーサルーン」と呼ばれている。

宮崎県のリゾート施設へ向けて、九州の東側を5時間30分以上かけて走る。日本で一番長い距離を走る特急。下り列車の宮崎空港行き1本に、上り列車の博多行きは2本という変則的なダイヤ。上りの24号は787系で運転される。

走行地域（区間）
博多〜宮崎空港

動力 電気 両数 5両

車両ざんねんポイント
5時間30分から6時間以上も走るのだが、グリーン車での飲みもののサービスも、車内販売もない。出発前に飲みものや食べ物は必ず買っておこう。

JR九州

温泉地をめざすリゾート特急

ゆふいんの森 キハ72系

特急

- 最高時速 120km
- 走行距離 134.8km
- 座席数 266席
- レア度 ●●○
- ぜいたく度 ●●○

車内
3号車にはビュッフェがあり、飲みものやオリジナルグッズなどが買える。

キハ71系
車内にサロンスペースもあるキハ71系も走っている。

車両
全ての車両がハイデッカー。先頭と最後尾の席は運転席の上にあるので、ながめがよい。

九州を代表する温泉地、湯布院へ向かう行楽客でにぎわっている。エメラルドグリーンのあざやかな車体が自然の風景によくとけ込み、木がふんだんに使われた車内は温もりがある。家族やグループに便利な「BOXシート」もある。

走行地域(区間)
博多～由布院※

動力 ディーゼル
両数 5両

車両おもしろポイント
キハ71系は「ゆふいんの森Ⅰ世」、72系はⅢ世と呼ばれる。ではⅡ世は？ 現在の「あそぼーい！」の車両が、昔は「ゆふいんの森Ⅱ世」として走っていた。

※2018年4月現在、臨時運行で走行区間が変更されている。

115

JR九州 特急 あそぼーい！ キハ183系

くろちゃんといっしょにあそぼー

- 最高時速 120km
- 走行距離 53.4km
- 座席数 127席
- レア度 ●●○
- ぜいたく度 ●●

車両
先頭部は座席が前に突き出ていて、運転室は2階にある。

ヘッドマーク
横長でイラストはなく、文字のみ。

キャラクター
列車のキャラクター犬「くろちゃん」。車体のあちこちに描かれている。

木のプール
丸い木のボールでつくられているプール。自由に楽しめる。

くろカフェ
3号車にあり、沿線のスイーツやオリジナルグッズを販売。子ども用に一部のカウンターが低くなっている。

パノラマシート
1・4号車にあり、大きな窓の向こうに阿蘇の山々が広がる。9席ずつしかないので、早めの予約を。

白いくろちゃんシート
転換式のシートで、走る向きが変わっても必ず子どもが窓側になる。

子どもたちが楽しめるよう、車内を大改造して登場したのが「あそぼーい！」だ。3号車の「ファミリー車両」には「白いくろちゃんシート」や「木のプール」、「図書室」など、子どもたちのための設備がたくさんある。

走行地域（区間）
熊本～宮地

動力 ディーゼル
両数 4両

車両おもしろポイント
車体に描かれた「くろちゃん」の数は、101匹。それぞれ表情やポーズがちがうので、駅などの停車中にお気に入りの「くろちゃん」を探してみよう。

※2018年4月現在、臨時運行で走行区間が変更されている。

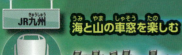

JR九州
海と山の車窓を楽しむ
はやとの風
キハ147形・キハ47形

- 最高時速 95km
- 走行距離 68.5km
- 座席数 67席
- レア度 ●●●
- ぜいたく度 ●●

デザイン
漆黒のボディカラー。

車内はたくさんの木が使われている。座席が大きな窓を向いた「展望スペース」もある。

展望席

ロゴマーク
金色であざやかに描かれている。

九州新幹線が新八代から鹿児島中央駅まで開業したときに登場。桜島や霧島連山など、海と山の景色の両方が楽しめる。肥薩線が開業したときのままの姿で、110年以上残る嘉例川駅や大隅横川駅にも停車する。

走行地域（区間）
吉松～鹿児島中央

動力 ディーゼル
両数 2両

車両おもしろポイント
九州の駅弁ランキングで1位を受賞した「かれい川」。古くからある地元の料理がつめられていて人気だ。JR九州の駅か、製造元の「やまだ屋」で予約を。

JR九州
ジャズが流れる大人の旅
A列車で行こう キハ185系
特急

| 最高時速 | 110km | 走行距離 | 36.5km | 座席数 | 84席 |

レア度 ★★★☆
ぜいたく度 ★★☆☆

車内
バーカウンターでは、飲みものを楽しめる。

デザイン
黒と金色のクラシックな車体。

たくさんの木が使われた車内。あちこちにステンドグラスがある。

車内

16世紀ごろに沿線の天草という島に伝わったポルトガルやスペインなどの文化がテーマ。バーカウンターもあり、地元の熊本産デコポンを使った「Aハイボール」というお酒が人気だ。大人になったらぜひ味わってみよう。

走行地域(区間)
熊本～三角

動力 ディーゼル
両数 2両

車両おもしろポイント
ジャズに「A列車で行こう」という曲があり、列車名はここからつけられた。車内ではその曲がBGMとして流れ、外国のバーにいるようなふんいきだ。

119

JR九州
鉄道の偉人の名前が愛称

特急

いさぶろう・しんぺい

キハ140形・キハ47形

- 最高時速 95km
- 走行距離 87.5km
- 座席数 95席
- レア度 ●●●
- ぜいたく度 ●●

車内
日本家屋風の濃い茶色を使った木製のインテリアがいっぱい。

デザイン
800系にも使われている「古代漆」一色のカラーリング。

性能
急な坂を登るので、改造時に強力な300馬力のエンジンにかえた。

熊本～人吉間を特急列車として走り、人吉～吉松間は観光普通列車として走っている。愛称は肥薩線を建設したときの責任者で、当時の逓信大臣だった山縣伊三郎と、そのときの鉄道院総裁だった後藤新平からとっている。

走行地域（区間）
熊本～人吉

- 動力 ディーゼル
- 両数 2両

車両おもしろポイント
車窓のおすすめは、肥薩線矢岳～真幸間。窓いっぱいにえびの盆地や霧島連山が広がり、運がよければ桜島まで見わたせる。「日本三大車窓」のひとつ。

JR九州

特急

浦島太郎の伝説トレイン

指宿のたまて箱 キハ47形

最高時速	95km	走行距離	45.7km	座席数	60席

レア度 ●●●

ぜいたく度 ●●

デザイン
車体の海側は白、山側は黒。
浦島太郎が竜宮城へ行く前と
後の髪の色を表している。

BUTAMA

性能
駅に着いてドアが開くと、玉手箱を開けた
ときのように白いミストが飛び出てくる。

薩摩半島の南側にある長崎鼻に古くか
ら伝わる浦島太郎伝説。それをテーマ
に、九州新幹線の全線開通時に登場し
た。グループに便利な「ボックスシー
ト」や、子どもが景色をながめやすい
「キッズチェア」などがある。

**走行地域
（区間）**
鹿児島中央〜
指宿

鹿児島中央
● 指宿

動力 ディーゼル

両数 2両

車両おもしろポイント
車内には玉手箱がおい
てある。カードにメッ
セージを書いて玉手箱
の中に入れると、願い
がかなうかもとされる
「言霊メッセージサー
ビス」がある。

121

封筒がない!!
どこだ!!

おちつけ!
先頭車両はここだ…
どこかにあるはず…

って、列車が動き出した!!
捜索に夢中になりすぎた…!

次はーかわべー
かわべー

第3章 ジョイフルトレイン

ジョイフルトレインは楽しむために乗る列車。鉄道で日本を旅しよう！

TRAIN SUITE 四季島

JR東日本 — 北海道まで足をのばす豪華クルーズ

ジョイフルトレイン

E001形

定員 34名　**レア度** ●●●●●　**ぜいたく度** ●●●●●

性能
「ディーゼル・エレクトリック方式」なので、電化区間でも非電化区間でも走れる。

1号車と10号車はまるごと展望車両。天井にも窓がある。 **展望車両**

デザイン
「四季島ゴールド」と呼ばれるあわい金色がメーンカラー。側面にはさまざまな大きさや形の窓がついている。

四季島スイート
2階建てで、いちばん豪華な個室。ベッドは1階にある。

ラウンジ
5号車のラウンジ。ダブルデッカー車なので天井が高い。

DINING しきしま
6号車のレストラン。沿線の食材を使った食事が味わえる。

列車に宿泊しながら、名所や観光地などに立ち寄り、ゆっくりと時間を過ごせるクルーズトレイン。全てのベッドがふたり用の豪華な個室で、風呂のついた部屋もある。季節やコースによって走る区間がちがう。

走行地域 東日本・北海道各地

動力 電気、ディーゼル

両数 10両

車両おもしろポイント
E001形は新幹線の電気でも走れ、青函トンネルやJR北海道の線路でも安全に走れる装置をつけた。青函トンネルを走るただひとつの在来線旅客列車だ。

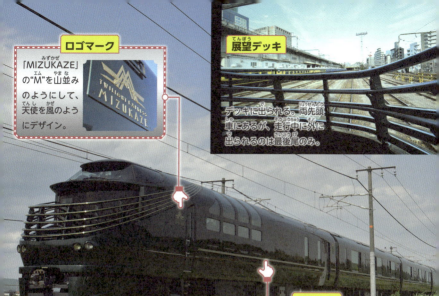

ロゴマーク
「MIZUKAZE」の"M"を山並みのようにして、天使を風のようにデザイン。

展望デッキ
デッキに出られる。両先頭車にあるが、走行中に外に出られるのは最後尾のみ。

デザイン
「トワイライトエクスプレス」のカラーを受けつぐ車体は「瑞風グリーン」に金色のライン。

ザ・スイート
1両をまるごと個室にした、世界でも最上級の客室。エントランスやリビング・ダイニング、寝室に加えてバスルームやプライベートバルコニーもある。

引退した豪華寝台特急「トワイライトエクスプレス」の伝統と格式を受けついだジョイフルトレイン。「上質さの中のなつかしさ」がコンセプトで、一流ホテルの部屋のような豪華な車両。中国地方をめぐる5つのコースがある。

走行地域
西日本各地

動力 ディーゼル
両数 10両

車両おもしろポイント
87系はディーゼルカーなので、車両記号の先頭に"キ"が必ずつく。今回新たにラウンジカーを示す"ラ"が加わり、"キラ"という記号が誕生した。

133

JR九州 ジョイフルトレイン

元祖クルーズトレイン
ななつ星 in 九州 77系

| 定員 | 28名 | レア度 | 🟠🟠🟠🟠🟠 | ぜいたく度 | 🟠🟠🟠🟠🟠 |

デザイン
機関車も客車もロイヤルワインレッドで統一され、上質なイメージ。

インテリア
7号車には2室だけの「DXスイート」があり、Aタイプは展望窓つき。

ラウンジカー
ラウンジカーではピアノの生演奏も行われる。

日本で最初にクルーズトレインとして運行。個室は日本と西洋の特ちょうを取り入れ、しょうじなどにも組子という木の細工があったり、洗面ばちが有田焼という焼き物だったりと、細部にまでこだわってつくられている。

走行地域
九州各地

動力 なし（客車）
両数 7両

車両おもしろポイント
「ななつ星 in 九州」は機関車が引っぱる客車だ。スピードは出ないが車両にモーターがついていないため、音もなく静か。おかげで夜もぐっすり眠れる。

134

JR北海道

ラベンダー観光の定番
富良野・美瑛ノロッコ号 510系

ジョイフルトレイン

| 座席数 | 220席 | レア度 | 🟠🟠🟠⚪ | ぜいたく度 | 🟠🟠⚪⚪ |

車両
牽引する機関車はDE15形。

車内
客車はトロッコ車両なので、窓がなく心地よい風が車内をめぐる。

オクハテ510形

機関車は常に旭川側に連結されているので、富良野行きの列車は先頭車のオクハテ510形にある運転台から最後尾のDE15形を遠隔操作して列車を押してもらう。

6月から10月の期間限定で運転されるトロッコ列車。ゆっくりと走るので、"のろい"と"トロッコ"を組み合わせて「ノロッコ号」という愛称に。釧網本線を4月～10月に運転される「くしろ湿原ノロッコ号」もある。

走行地域
旭川～富良野など

動力 なし（客車）
両数 3両

車両おもしろポイント
乗客が多い時期は、トロッコ車両の間にナハ29000形を連結。「バーベキューカー」の設備をなくして、ノロッコ号に連結するために新たにつくられた。

とれいゆ つばさ E3系

JR東日本 / くつろぎの新幹線 / ジョイフルトレイン

- 座席数: 143席
- レア度: ●●●
- ぜいたく度: ●●

ロゴマーク
さくらんぼやラ・フランスなど山形の名産をイメージ。

デザイン
万年雪をかぶった山形県の月山をイメージしたカラーリング。曲線でおだやかな山の形を表している。

湯上がりラウンジ
「バーカウンター」の脇にある。たたみの座敷でゆったりと休める。

足湯
山形の県花である紅花の色をした湯船。世界でただひとつの足湯つき列車。

景色と足湯を楽しんで東北を旅しよう！

車内
「お座敷指定席」。たたみの座席と大きなテーブルが特ちょうで、天井や座席の上には山形のフルーツをモチーフにしたレリーフがある。

日本初のジョイフル新幹線。愛称の"とれいゆ"とは、列車の"トレイン"とフランス語で太陽の"ソレイユ"をあわせたもの。この列車の目玉は、車内に足湯があること。景色をながめながらあたたかい湯船でくつろげる。

走行地域
福島〜新庄

動力 電気　**両数** 6両

車両おもしろポイント
JR東日本の「びゅう旅行商品」では、あらかじめ足湯利用券を購入できるので便利だ。すいていれば当日でもアテンダントから380円で購入できる。

137

JR東日本
世界最速の走る美術館
GENBI SHINKANSEN
（現美新幹線）
E3系

| 座席数 | 105席 | レア度 ●●● | ぜいたく度 ●● |

デザイン
写真家の蜷川実花が撮影した新潟県長岡市の花火が、1両に1枚ずつラッピングされている。

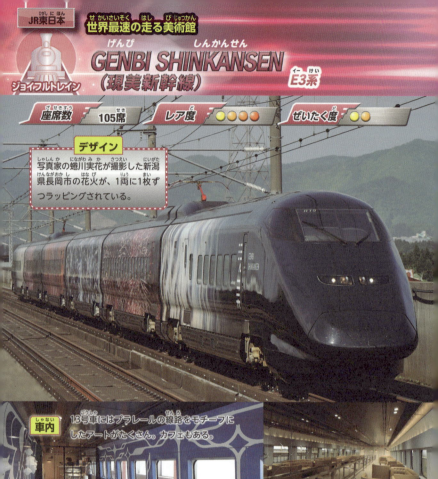

車内
13号車にはプラレールの線路をモチーフにしたアートがたくさん。カフェもある。

12号車。ステンレスの壁に、反対側の窓からの景色が反射して見える。

時速240kmで走る新幹線の中に現代アートを展示した、世界で初めてで最速で移動する美術館。11号車は指定席でリクライニングシートがあるが、これもアートだ。12〜16号車は自由席なので、好みのアートを見学できる。

走行地域
越後湯沢〜新潟

動力 電気
両数 6両

車両おもしろポイント
カフェでは「十日町すこやかファクトリー」で製造した、「雪下人参のキャロットケーキ」「佐渡バター団子風ケーキ」などのスイーツが食べられる。

138

津軽鉄道 — 津軽の冬の風物詩

ストーブ列車　オハ46形・オハフ33形

私鉄 / ジョイフルトレイン

座席数	レア度	ぜいたく度
152席	●●●○	●●○○○

ヘッドマーク
丸いダルマストーブが描かれている。

性能
煙などを外に出すため、ストーブからの煙突が外に出ている。

車内
ダルマストーブが1両につき2か所ある。

ダルマストーブをたいて車内をあたためる、昔ながらの列車。1930年の開業当初から運転されている。観光アテンダントによる津軽弁での案内も好評。毎年12月1日〜翌年3月31日まで、1日3往復ほど運転される。

走行地域
津軽五所川原〜津軽中里

動力 なし（客車）
両数 2両

車両おもしろポイント
8月に行われる五所川原の立佞武多祭に合わせ、「真夏のストーブ列車」も運転。車内の温度は50度をこえることもあり、がまん大会のようだ。

リゾートしらかみ HB-E300系

JR東日本 / ジョイフルトレイン / 五能線観光の定番列車

座席数 142席 | レア度 ●●○ | ぜいたく度 ●●○

普通車指定席

システム
リチウムという金属を使った蓄電池とディーゼルエンジンとを組み合わせてモーターを動かすハイブリットシステム。

東北の夏祭りをイメージした、はなやかなシートデザイン。

「橅」編成　HB-E300系で運行されている。

車内

「青池」編成　「橅」編成と同じHB-E300系。

両運転席の後ろにある「橅」編成の展望室。

「ORAHO」カウンター
地酒や白神山地の水でつくったコーヒー、沿線の特産品を販売している。「橅」編成の3号車にある。

くまげら編成
キハ48形で運転されている。

ボックス席
「橅」編成の2号車にあり、一部の席は座面と背ずりをずらしてフラットシートにすることができる。

イベントスペース
一部の列車では区間によって、人形芝居や津軽弁での語り部、津軽三味線の生演奏が行われる。

世界遺産の白神山地のふもとや、美しい日本海の海岸線をのんびりと走る。3編成あるなかで、「橅」編成は2016年にデビューして一番新しい。景色のよいところではスピードを落としてゆっくり走るなど、サービスも満点。

走行地域 秋田〜青森

動力 ディーゼル
両数 4両

車両おもしろポイント
「リゾートしらかみ」の走る五能線は、日本海沿いを走っている。車窓いっぱいに広がる絶景をひとりじめしたいなら、窓側のA席を予約しよう。

JR東日本 たくさんのポケモンと遊ぼう
POKÉMON with YOU トレイン キハ100系

ジョイフルトレイン

| 座席数 | 46席 | レア度 ●●○ | ぜいたく度 ●●○ |

デザイン
黄色い車体にはいろんなポーズをしたピカチュウがたくさん描かれている。

車内
一ノ関側の2号車「プレイルーム」。ピカチュウに囲まれながら楽しく遊べる仕掛けがいっぱいだ。

1号車は「コミュニケーションシート」と呼ばれる指定席。座席の取っ手は「モンスターボール」。

「プレイルーム」ではピカチュウ形の運転台や機関室、大きな「寝そべりピカチュウ」などで遊ぶ、子どもたちのはしゃぎ声がいつも響きわたっている。座席の背もたれやカーテンなど、あらゆるところにピカチュウがいる。

走行地域
一ノ関〜気仙沼

動力 ディーゼル
両数 2両

車両おもしろポイント
もともとは東日本大震災で被災した子どもたちに笑顔を届け、そして全国のこどもたちに東北の旅を楽しんで欲しいという思いからつくられた列車である。

JR東日本
お召し列車にも使用される
なごみ（和） E655系

ジョイフルトレイン

| 座席数 | 107席 | レア度 ●●●●● | ぜいたく度 ●●●●● |

車内

3号車のみ革張りのVIPシート。4人用の個室もある。

性能
交直流電車なうえ、発電用のエンジンも搭載。さらにディーゼル機関車に牽引されても走ることができるので、JR東日本のあらゆる路線が走行可能だ。

モニター

すべての座席にモニターがあり、ゲームやビデオがみられたり、飲みものなどの注文もできる。

全ての車両がグリーン車のE655系。時刻表にはのっておらず、旅行会社などが募集するツアーの団体専用列車「なごみ（和）」として不定期で運転されている。天皇陛下たちが乗車される「お召し列車」としても使用される。

走行地域
動力 電気　両数 5両

車両おもしろポイント
「お召し列車」として運転されるときは、3号車と4号車のあいだに菊の御紋の入った特別車両を連結し、陛下たちはこの車両に乗車される。

143

JR東日本 天空にいちばん近い列車
ジョイフルトレイン
HIGH RAIL 1375
キハ100系・キハ110系

- 座席数 50席
- レア度 ●●●
- ぜいたく度 ●●○

ヘッドマーク
八ヶ岳の山々と小海線の夜空をイメージしている。

車内
2号車にある「ギャラリー HIGH RAIL」。半球型のドーム型天井に星空映像などが映しだされる。

車内
1号車はひとり用のシングルシートとふたり用のペアシートが並び、奥に4人用のボックスシートもある。

別名八ヶ岳高原線とも呼ばれ、JRで一番標高の高いところを走る。清里〜野辺山間では1375mの「JR標高最高地点」を通過するため、この愛称がつけられた。車両は全て指定席で、土日を中心に1日1往復半走っている。

走行地域
小淵沢〜小諸

動力 ディーゼル
両数 2両

車両おもしろポイント
夜中に走る「HIGH RAIL 1375」星空号は、途中の野辺山駅での停車中に、約1時間ほど星空観察会が行われる。夏でも夜は冷えるので上着を忘れずに。

富士急行
富士山をみながらの極上スイーツ旅
富士山ビュー特急 8500系

私鉄 ジョイフルトレイン

| 座席数 | 143席 | レア度 ●● | ぜいたく度 ●● |

デザイン
「富士登山電車」でも使用されているさび朱色を、モダンなメタリックで塗装した。

車内
1号車の特別車両は指定席。ウェルカムドリンクのサービスもある。

サービス
「富士山ビュー特急特製スイーツ」の一例。スイーツは季節ごとに変わるので何回乗っても楽しめる。

「あさぎり」として走っていたJR東海371系をリニューアル。土休日には一部の列車が「スイーツプラン設定列車」として運転。特別車両では、パティシエによる「富士山ビュー特急特製スイーツ」が味わえる。

走行地域
大月〜河口湖

動力 電気
両数 3両

車両おもしろポイント
「フジサン特急」も「富士山ビュー特急」も、元は「あさぎり」として走っていた車両。ともに富士急行にゆずられ、再び顔をあわせるとは、なんたる運命だ。

145

レトラム F10形

福井鉄道 — 福井の街を走るドイツ製電車

ジョイフルトレイン／私鉄

座席数 34席　レア度 ●●●●○　ぜいたく度 ●○○○○

性能
1両に1つしか台車はなく、2両編成だが合計2つの台車しかない。

デザイン
白と黄色のツートンカラー。色の境目と乗降扉の接合部に黒いラインが入る。側面にある広告はドイツ時代のまま残っている。

デザイン
ヘッドライトがたてに2つ並んだ下に尾灯が続く。

ドイツの路面電車として走っていた、約50年前の車両である。日本では最初に高知の土佐電気鉄道（現在のとさでん交通）の車両として、のちに福井鉄道にやってきた。ヨーロッパ独特のデザインで福井の街をかけぬける。

走行地域　越前武生〜田原町など

動力 電気　両数 2両

車両ざんねんポイント
「RETRAM」には冷暖房の設備がないため夏と冬の運転はさけ、春と秋の土日と祝日に越前武生〜田原町と福井駅前〜田原町間を1往復ずつ走っているのみ。

大井川鐵道

日本最急勾配をアプトで登る

井川線

私鉄 ジョイフルトレイン

クハ600形・スロフ300形・スハフ500形・スロニ200形

| 座席数 | 不定 | レア度 ●● | ぜいたく度 ●● |

レール アプト区間では線路の間にアプト式のレールも敷かれている。

路線はもともと水力発電所の工事用につくられたものなので、車両も少しはばがせまく天井も低い。

性能 アプトいちしろ～長島ダム間はアプト式機関車ED90形を連結して1000m進んで90m登る90‰の急坂を登っている。

車内

井川線のアプトいちしろ～長島ダム間は長島ダムの建設によってルート変更をして、急勾配を登るためにアプト式を取り入れた。線路に歯車状のレールを敷き、車両側につけた歯車とかみ合わせて走る、全国でここだけの方式だ。

走行地域 千頭～井川

動力 なし（客車）
両数 不定

車両おもしろポイント

アプトいちしろ～長島ダム間は日本で最も坂がきつい。また尾盛～閑蔵間にある関の沢橋梁は水面から70.8mもの高さがあり、こちらも日本一である。

147

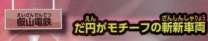

叡山電鉄
だ円がモチーフの斬新車両
ひえい 700系

| 座席数 | 85席 | レア度 | ●● | ぜいたく度 | ● |

デザイン
沿線にある比叡山と鞍馬山の「神秘的な雰囲気」や「時空を越えたダイナミズム」といったイメージを「だ円」で表現した。

車内

座席はロングシートで座り心地のよいバケットタイプ。手すりも楕円形で窓もだ円と徹底している。

車両の先頭に輝く、大きな金色のだ円。今までにない斬新で大胆なスタイルの車両が、2018年3月にデビューした「ひえい」だ。観光用車両だが、通常料金で乗車できるので人気がある。火曜日は運休なので注意しよう。

走行地域
出町柳～八瀬比叡山口

動力 電気　両数 1両

車両おもしろポイント
「ひえい」は1988年から走っていたデオ732という車両を、大はばにリニューアルした。リニューアル前は、パトカーや警察車両がラッピングされていた。

近畿日本鉄道 — 飛鳥・吉野観光をゴージャスに

私鉄 ジョイフルトレイン

青の交響曲（シンフォニー） 16200系

- 座席数 65席
- レア度 ●●●
- ぜいたく度 ●●

デザイン
落ち着いた濃紺色の車体とゴールドのラインで大人の旅を感じさせるカラーリング。

車内
座席は1列と2列で、はばの広いシート。前後のシートが向かい合ったふたり用の「ツイン席」と3〜4人用の「サロン席」もある。

車内
2号車の「ラウンジ車両」は1両まるごと「バーカウンター」や「ラウンジスペース」のあるフリースペース。

歴史や文化がただよう飛鳥や吉野をめぐる観光を、ゆったりと楽しんでもらうために登場した。濃い色の木が多く使われた車内は落ち着きがあり、カーペットも高級な丹後緞通を使用する豪華さだ。

走行地域
大阪阿部野橋〜吉野

- 動力 電気
- 両数 3両

車両おもしろポイント
観光用車両は窓を大きくして景色を見やすくするが、「ラウンジ車両」は窓が小さい。あえて電車に乗っていることを意識させないことが目的だ。

南海電鉄 ジョイフルトレイン
鯛がレールを泳ぐ電車
めでたいでんしゃ 7100系

- 座席数 110席
- レア度 ●●●
- ぜいたく度 ●

デザイン
「加太の鯛」をイメージしたうろこ柄。

車内
入口では魚が出むかえてくれる。

シートは3種類の鯛のもよう。つり革も魚型。

南海電鉄が加太観光協会と共同して登場させたのが「めでたいでんしゃ」。名物の加太の鯛と淡嶋神社をイメージしている。乗るだけでおめでたい気分になる「おめでたい」と、ずっと乗っていたくなる「愛でたい」をかけた愛称だ。

走行地域
和歌山市～加太

- 動力 電気
- 両数 2両

車両おもしろポイント

この「めでたいでんしゃ」が好評で、第2弾は海の中に来たような「ここちよさ」と「ドキドキ感」をイメージした水色の「めでたいでんしゃ」も登場した。

150

JR四国 ジョイフルトレイン
アンパンマンといっしょに海をこえる
瀬戸大橋アンパンマントロッコ
キクハ32形・キロ185形

- 座席数: 48席
- レア度: ●●●
- ぜいたく度: ●●

デザイン
アンパンマンとなかまたちが車体にいっぱい描かれている。

車内 トロッコ車両は、壁や手すりまでアンパンマンたちであふれている。

車内 一部の床が窓で、65m下の瀬戸内海を見ることができる。

車内も外観もアンパンマンのキャラクターがいっぱいのトロッコ列車。岡山〜琴平を結ぶ列車もある。トロッコ車両に乗れる区間は児島〜坂出間と児島〜琴平間。潮風に吹かれながら、アンパンマンたちと瀬戸内海をわたろう。

走行地域
岡山〜高松など

動力 ディーゼル
両数 2両

車両おもしろポイント
悪天候の日などはトロッコ車両に乗車できず、座席車で過ごすことになる。以前は普通の車両だった座席車だがアンパンマンたちが加わり、にぎやかに。

151

伊予鉄道 SL? それともディーゼル?

私鉄 ジョイフルトレイン

坊っちゃん列車 ハ1形・ハ2形

| 座席数 | 36席 | レア度 | ●●● | ぜいたく度 | ● |

性能
煙突から蒸気を出して、本物のSLらしく見せている。

デザイン
ディーゼル機関車だが、見た目を蒸気機関車そっくりにつくっている。

車両 1911年につくられた14号機関車を再現した列車も走っている。こちらの客車は1両だ。

方向転換中。

伊予鉄道が開業したころ、小さなSL列車が松山市を走っていた。夏目漱石の小説「坊っちゃん」にこの列車が登場し、愛称が広まった。現在走っている列車は、当時の機関車と客車に似せて新たにつくったものだ。

走行地域
松山市駅など～
道後温泉など

動力 なし(客車)
両数 2両

車両おもしろポイント
通常SLは転車台で向きをかえるが、この列車は底からジャッキが出て車両を浮かせ、乗務員が手で機関車を回して方向転換する。終点駅で行われる。

平成筑豊鉄道 / 私鉄 ジョイフルトレイン

日本でいちばんスローな列車
潮風号 トラ70000型

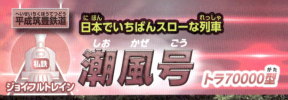

| 座席数 | 100席 | レア度 | ●●● | ぜいたく度 | ● |

車体
機関車は南阿蘇鉄道でトロッコ列車を牽引していた車両、客車は島原鉄道でトロッコ列車として走っていた車両をそれぞれゆずりうけた。

車内
トンネル内ではブラックライトに照らされた魚たちが天井に浮かびあがる。

デザイン
レトロをイメージした落ち着いた青色。

使われなくなっていた貨物線を整備して、走り始めたトロッコ列車。最高速度は日本でいちばんおそく、たった時速15km。わずか2.1kmの道のりを10分かけて走っている。関門海峡の潮風を感じながら、景色を楽しもう。

走行地域
九州鉄道記念館〜関門海峡めかり

動力 なし（客車）
両数 2両

車両おもしろポイント
始発駅の九州鉄道記念館のそばには鉄道博物館があり、昔の貴重な車両を展示。終着駅のそばにもEF30形電気機関車などが展示されている。

153

或る列車 キハ47形

JR九州 ジョイフルトレイン

明治時代の計画が今よみがえる

座席数 38席 ／ レア度 ●●●○ ／ ぜいたく度 ●●○○

デザイン
金と黒のカラーリングで唐草模様を取りつけた立派な車体。

車内
メープルの木を使った1号車。天井は木材で格子状になっている。

料理
沿線の素材をいかし、一流のシェフやパティシエが調理。

豪華な車内で極上のスイーツが食べられる人気列車。大分〜日田間の「大分コース」と、佐世保〜長崎間の「長崎コース」を、季節で走り分けている。原信太郎が製作した鉄道模型の「或る列車」を手本にしてつくられた車両だ。

走行地域 佐世保〜長崎など

動力 ディーゼル
両数 2両

車両おもしろポイント
「或る列車」は、1906年に、当時の九州鉄道という会社がつくったが一度も走ることがなかった豪華車両。原は趣味でその列車を鉄道模型でつくっていた。

肥薩おれんじ鉄道

元祖レストラントレイン
おれんじ食堂
HSOR-100形

| 座席数 | 43席 | レア度 | ●●● | ぜいたく度 | ●●● |

名称
形式名の"HSOR"は「HISATSU ORANGE RAILWAY」の頭文字からとっている。

車内 1号車の「ダイニング・カー」。カウンター席とテーブル席があり、座席は全て海側を向いている。

料理 地域の食材をいかした食事が景色を見ながら楽しめる。

現在のレストラントレインブームの元祖だ。以前も車内で食事ができる列車はあったが、わざわざ車両をつくったのは「おれんじ食堂」が初めて。1日4種類のプランがあり、停車駅ではイベントなども行う。

走行地域 新八代～川内など

動力 ディーゼル
両数 2両

車両おもしろポイント
第三セクターとしてスタートした肥薩おれんじ鉄道。交流電化しているが、電車の購入や架線の整備などの資金を節約するため、気動車が走っている。

JR東日本 SLに乗って銀河鉄道の世界へ

SL銀河 C58形

ジョイフルトレイン

| 座席数 | 176席 | レア度 ●●●●○ | ぜいたく度 ●●○○○ |

デザイン
客車は夜空をイメージしたブルーに、「銀河鉄道の夜」に登場する星座や動物が描かれている。

車体
239号機は1940年6月に製造され、1972年までおもに岩手県で活やくしていた。

車内

列車では世界初の光学式プラネタリウムがある。

釜石線沿線を舞台にした、宮沢賢治の代表作「銀河鉄道の夜」がテーマ。車内も宮沢賢治が生きていたころの時代をイメージし、展示物もたくさん。おもに土曜日が釜石行き、日曜日が花巻行きという運行なので注意が必要だ。

走行地域
花巻〜釜石

動力 蒸気

両数 4両(気動車)

車両おもしろポイント
実は、連結されている車両は客車ではなく気動車だ。釜石線は急な坂が多いため、気動車とSLが力を合わせて、いっしょに急勾配を登っていく。

JR東日本

大型のSLが上越線を走る
SLみなかみ C61形

ジョイフルトレイン

| 座席数 | 512席 | レア度 ●●●●● | ぜいたく度 ●● |

車体
客車は12系が基本だが、昔からある旧型の客車で「SLレトロみなかみ」として運転する日もある。

車体
D51 498号機で運転される日もある。

性能
3つの動輪の前後に小さい車輪が2つずつある並び方を「ハドソン」と呼ぶ。

C61形は、群馬県伊勢崎市で保存されていた20号機を復活させたもの。機関士の制服"ナッパ服"を着ての写真撮影や、帰りの高崎行きではSLの車内放送を体験できるなど、子ども向けのサービスも多い。

走行地域
高崎～水上

動力 蒸気
両数 6両(客車)

車両おもしろポイント
「SLみなかみ」が停車する渋川、沼田、後閑、水上駅では、SLの動輪をモチーフにした駅名板や、旧型客車をイメージしたホームの待合室がある。

157

東武鉄道

51年ぶりにSLが復活

私鉄 ジョイフルトレイン

大樹 C11形

| 座席数 | 192席 | レア度 ●●● | ぜいたく度 ●● |

機関車
「SLニセコ号」や「SL冬の湿原号」として活やくしていた機関車を、JR北海道から借りている。

客車
14系の客車で、JR四国からゆずりうけた。シートやカーテンなどはリニューアルした。

ヘッドマーク
C11形の3つの動輪をイメージ。

借りたSLをはじめ、DLや客車、車掌車、転車台をゆずりうけ、運転できる機関士を育てるなど、あらゆる鉄道会社が協力したことで復活した列車。愛称の「大樹」とは、世界遺産の日光東照宮から連想する「将軍」という意味だ。

走行地域
下今市～
鬼怒川温泉

動力 蒸気　両数 3両

車両おもしろポイント
C11形には安全装置を取りつけられなかったため、かわりに車掌車に取りつけた。そのためいつもペアで走ることになる。ちなみに車掌は乗っていない。

大井川鐵道 私鉄 ジョイフルトレイン

きかんしゃトーマスに乗りにいこう

きかんしゃトーマス号 C11形

| 座席数 | 176席 | レア度 ●●●○ | ぜいたく度 ●●○○ |

性能
ボイラーの下にあるレバーを動かすと、トーマスの目が動く。

機関車

千頭駅で並ぶ「ヒロ」と「きかんしゃトーマス」。

車両
オレンジ色の「アニー」と「クララベル」が連結されている。

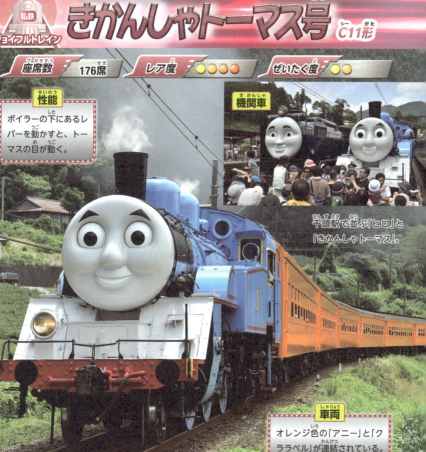

「きかんしゃトーマス」とそのなかまたちが、大井川鐵道で夏から秋にかけて走っている。千頭駅には「ヒロ」や「パーシー」、「ラスティー」たちも待っていて、トーマスの運行日には"きかんしゃトーマスフェア"も開催される。

走行地域
新金谷〜千頭

動力 蒸気　両数 7両

車両おもしろポイント
「きかんしゃトーマス」や「きかんしゃジェームス」の運転日には、新金谷駅の車両整備工場が見学できる。出発前の準備や点検のようすを間近で見られる。

159

JR西日本 ジョイフルトレイン
レトロな新型客車で昭和の旅を
やまぐち C57形

| 座席数 | 360席 | レア度 ●●○ | ぜいたく度 ●●○ |

1等展望車 展望室と展望デッキがあり、高級感がただよう。

愛称 細いボイラーと大きな動輪を組み合わせたバランスのよいスタイルから、C57形は「貴婦人」と呼ばれている。

車内 3号車には、SLのしくみが学べるコーナーや運転シミュレーターなどがある。

全国のSLが廃止された3年後から、C57形1号機による復活運転を行っている。SLがかつて牽引していたときのような客車を新たにつくり、ファンからも好評だ。同時にD51形200号機も復活し、ますます注目されている。

走行地域 新山口〜津和野

動力 蒸気
両数 5両（客車）

車両おもしろポイント D51形は「デゴイチ」としてもっとも親しまれている蒸気機関車だ。200号機はC57形と連結して2両のSLがつながって走る重連運転をすることもある。

JR九州 — もっとも古い蒸気機関車

ジョイフルトレイン

SL人吉 8620形

| 座席数 | 132席 | レア度 ●●● | ぜいたく度 ●● |

愛称
8620形は大正時代につくられた、日本初の大量生産された旅客用の蒸気機関車。形式の千と百の位から「ハチロク」の愛称がある。

展望ラウンジ
1号車と3号車にはそれぞれ窓が大きく見晴らしのよい「展望ラウンジ」がある。

アテンダント
駅ではアテンダントがホームに出て、大きなベルを鳴らして出発の合図をする。

牽引する58654号機は各地で復活したSLの中で、もっとも古い蒸気機関車。客車は50系という車両をリニューアルし、車内はたくさんの木が使われている。SLに関する本が読める「SL文庫」や「ビュッフェ」もある。

走行地域
熊本〜人吉

動力 蒸気
両数 3両(客車)

車両おもしろポイント
8620形初の機関車は、8620号機。80番目が8699号機で、81番目は18620号機。80ごとに10000の位がふえるので「SL人吉」は8620形の435番目となる。

161

運転席をのぞいてみよう

新幹線H5系 ➡

日本最速の車両の運転席のひみつは!?

① モニター
② ブレーキハンドル
③ マスコン
④ 逆転ハンドル

- **①モニター** 左から、現在の速度などを表示、運転に関わる情報を表示、車両の状態などの情報を表示する。
- **②ブレーキハンドル** 電車を止めるときに使う。
- **③マスコン** 「マスターコントローラー」の略称。前後に動かして速度を調整する。
- **④逆転ハンドル** 進行方向を変えるときに使う。

運転席は、いったいどんなふうになっているんだろう。
列車ごとに、少しずつちがうみたいだよ。

⇦ディーゼル機関車
ＤＤ200形

貨物運びが得意な力持ち。
その運転席は？

② マスコン
③ 逆転ハンドル
④ 砂まきスイッチ
① ブレーキハンドル

❶ ブレーキハンドル　右側が自動ブレーキ、左側が単独ブレーキ。
❷ マスコン　前後に動かして速度を調整する。
❸ 逆転ハンドル　進行方向を変えるときに使う。
❹ 砂まきスイッチ　ディーゼル機関車は、山道をのぼったり、重い貨物を運んだりするため、線路と車輪の間に砂をまいて、力を入れやすくする。

163

⇐ 東急2020系

ハンドルが1つ!?

ワンハンドルマスコン
マスコンとブレーキがいっしょになっている。向こう側へおすとブレーキ、手前に引くと加速する。

ゆりかもめ7300系 ⇒

ATO（自動列車運転装置）
列車の出発や、スピードの調整、停止まで、自動で行うシステムのこと。ゆりかもめなど、ATOを使用している列車のなかには、乗務員がいないものもあり、中央指令所からすべての指令が自動でおこなわれる。

ビルの中の中央指令所から運転の指令を出す

164

第4章 普通列車

普通列車は通勤・通学や、町に出かけるときなどに使うさまざまな列車だ！

JR北海道 普通列車

新幹線や空港へのアクセスとして
733系

〈おもな路線〉
函館本線、札沼線、千歳線

- 最高時速 120km
- 定員 148名
- レア度 ●●

デザイン
「はこだてライナー」にはJR北海道の色のライトグリーンの上に、北海道新幹線H5系を思わせるパープルのラインが入っている。

車両
車体のはばは、2892mmと広い。

車両
札幌周辺を走る733系100番台はライトグリーンのラインのみ。

札沼線が一部電化されたときに3両編成で登場。快速「エアポート」として走る6両編成の車両は3000番台だ。写真の1000番台は、北海道新幹線が新函館北斗まで開業したときに、「はこだてライナー」としてデビューした。

走行地域

- 動力 電気
- 両数 3両

車両おもしろポイント
寒さ対策として、駅でドアが開いたときにドアの上や横から温風を出し外からの寒い空気が車内に入らないようにする「エアーカーテン」がつけられている。

JR北海道

普通列車

日本でただひとつ、気動車と連結する

731系

〈おもな路線〉
函館本線、札沼線、千歳線

- 最高時速 120km
- 定員 148名
- レア度 ●●●○○

デザイン
前面は赤と黒のライン、側面にはライトグリーンの下に赤のラインが入っている。形はキハ201系とまったく同じだ。

車両
車体はステンレスでできている。

キハ201系
731系と連結して走ることができる。

後方にキハ201系が連結されている。

JR北海道で初めて座席がすべてロングシートになった車両。それまでの711系よりもスピードアップし、20%も省エネになった。気動車と連結して走ることができる、日本でただひとつの電車だ。

走行地域

- 動力 電気
- 両数 3両

車両おもしろポイント
非電化区間の倶知安から来たキハ201系が小樽で731系と連結し、いっしょに札幌まで走るのは、小樽を朝7時33分に発車する1本だけだ。

167

JR北海道

試験を続ける最新車両
H100形

〈おもな路線〉
未定

普通列車

最高時速 100km　定員 36名　レア度 🟡🟠🟠🟠🟠

性能
ディーゼルエンジンの力で電気を起こし、モーターを動かして走る電気式気動車システム。

デザイン
ブラックの前面にイエローを加え、人や車に注意をうながす警戒色を強調。

ロゴマーク
モーターで走る電気式ディーゼルカー（Diesel Electric Car with Motors）の頭文字から「DECMO」という愛称。

古くなってきたキハ40系のかわりに、新しく計画している車両の試験をするための車両。JR北海道初の電気式気動車システムをとりいれた。寒さにもたえられるかどうかなど、さまざまなテストをしていく。

走行地域
動力 ディーゼル
両数 1両

車両ざんねんポイント
JR北海道では古い車両が多い。一部の部品は、すでにつくられていないものもあるという。そのため、これらにかわる新型車両の製作を急ぐ必要がある。

JR北海道 普通列車

北海道北部や東部の主力ローカル
キハ54形

〈おもな路線〉
宗谷本線、釧網本線、根室本線

- 最高時速 95km
- 定員 70名
- レア度 ★★☆

デザイン
前面や側面の窓の下に赤いラインが入っている。

性能
北海道向けにつくられた車両なので、冷房がない。

車両
ジョイフルトレインの「流氷物語」として、冬の時期に網走〜知床斜里間を走る車両もある。

北海道と四国のローカル線用の車両としてデビューした。写真は北海道向けの500番台で、窓を二重にしたり乗降扉を狭くつくるなど、寒さへの対策がされている。おもに道北や道東などで活やくしている。

走行地域

動力 ディーゼル
両数 1両

車両おもしろポイント
キハ54形は座席の向きがかわるシートが多かった。最近ではキハ183系の座席を再利用し、リクライニングはしても座席の向きがかわらない車両が増えた。

169

JR東日本 東北地方の交流電車 701系

普通列車

〈おもな路線〉
田沢湖線、奥羽本線、東北本線

最高時速 110km ／ 定員 106名 ／ レア度

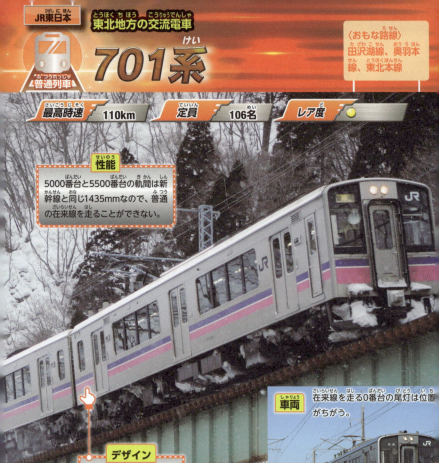

性能
5000番台と5500番台の軌間は新幹線と同じ1435mmなので、普通の在来線を走ることができない。

デザイン
ラインは上から紫、白、ピンクの順。

車両
在来線を走る0番台の尾灯は位置がちがう。

田沢湖線を走る5000番台。このほか701系は走る路線や支社によってさまざまな番台とカラーがあり、東北地方のほとんどの区間で走る。多くはロングシートだが、5000番台はクロスシートもロングシートも両方ある。

走行地域

動力 電気 ／ 両数 2両

車両ざんねんポイント
鉄道の旅といえば欠かせない駅弁。しかし、ロングシートの701系では、車内のどこからでも丸見えなので、人の目が気になり、駅弁は少し食べにくい。

170

JR東日本
仙台東北ラインとともにデビュー
HB-E210系

〈おもな路線〉
仙石線、石巻線、東北本線

普通列車

最高時速	定員	レア度
100km	90名	●●

性能
エンジンと蓄電池とを組み合わせて走行するハイブリッド式。

ロゴマーク
前面にある「HYBRID TRAIN」と書かれたロゴ。車両側面にもある。

デザイン
仙石線の青と、東北本線の緑、そして沿線の天然記念物でもある塩竈桜の桜色を組み合わせたカラーリング。

仙石線と東北本線をつなぐ接続線ができたことで仙石東北ラインが誕生。その路線を走る車両として登場した。仙石線が直流、東北本線が交流、そして接続線は非電化のため、全ての路線を走れる気動車が採用された。

走行地域

動力 電気　両数 2両

車両ざんねんポイント
ハイブリッドの機械などをかくすため車内はでこぼこなレイアウト。

JR東日本
東日本の一般型ディーゼルカー
キハ110系

〈おもな路線〉
飯山線、花輪線、磐越東線など

普通列車

最高時速 100km ／ 定員 118名 ／ レア度

デザイン
白に近い「ベルベールグリーン」をベースに、緑のような「ディープグリーンイエロー」のライン。

性能
420馬力のパワーがあるエンジンや、電気指令式ブレーキを取りつけるなど、電車と同じような性能。

デザイン
陸羽東線の車両は側面の窓の下に黄色のラインが、陸羽西線の車両は赤いラインがそれぞれ入り、緑の色みもちがう。

キハ40系などの古い気動車を交換するために登場。今までの形をフルモデルチェンジした、直線的な形が特ちょうだ。走る路線によってさまざまな色の種類があるほか、ジョイフルトレインにリニューアルもされている。

走行地域

動力 ディーゼル
両数 2両

車両おもしろポイント
キハ100形もキハ110系のなかまだ。車両の長さが17mと短く、キハ110形と同じく前後に運転台があるので、1両でも走ることができる。

JR東日本

普通列車

カラフルに塗りかえられたディーゼルカー

キハ40系

〈おもな路線〉
五能線、只見線、津軽線

| 最高時速 | 95km | 定員 | 198名 | レア度 | ●● |

性能
多くは220馬力のエンジンだが、300馬力以上のエンジンに取りかえたり、強力になるよう改造したりしている。

デザイン
五能線を走る車両には、海をイメージした青いラインがある。

デザイン
車両が登場した当時のカラーで、「朱色5号」という色を使い「首都圏色」と呼ばれている。

1950年ごろにつくられた車両のかわりに1977年から全国各地に登場した車両。全部で888両もつくられた。地域や路線に合わせた塗装が多くカラフルだが、この車両自体も古くなって廃車も進んでいる。

走行地域

動力 ディーゼル
両数 2両

車両おもしろポイント
キハ40形は車両の両方に運転台があり、乗降扉は片開きの1枚。キハ47形は運転台が片方だけで、乗降扉は2枚。キハ48形は片運転台で乗降扉も1枚だ。

173

三陸鉄道
クウェートからの贈り物
36-700形

三セク
普通列車

〈おもな路線〉
北リアス線、南リアス線

| 最高時速 | 95km | 定員 | 50名 | レア度 | ●●○ |

デザイン
نقدّر كثيراً دعم دولة الكويت

We greatly appreciate the support from the State of Kuwait.

クウェート国からのご支援に感謝します。

側面はクウェートへの感謝の言葉がアラビア語、英語、日本語で書かれている。

性能
電気指令ブレーキが搭載され、運転台もモニター表示で最新のシステム。

さんりくはまかぜ

デザイン
前面にはクウェートの国章がついている。

東日本大震災で被災した三陸鉄道。クウェート政府が日本に援助した原油をもとにしたお金で、6両もの車両がつくられた。運転台もモニター表示される最新タイプで、北リアス線と南リアス線で3両ずつ走っている。

走行地域

動力 ディーゼル
両数 1両

車両おもしろポイント
36-Z型もクウェート政府からの援助でつくられた車両。「さんりくはまかぜ」と呼ばれ、北リアス線でお座敷列車やこたつ列車として走っている。

山形鉄道

フラワー路線を走るフラワーライナー
YR-880形

7 三セク　普通列車

〈おもな路線〉
フラワー長井線

- 最高時速 75km
- 定員 60名
- レア度 ◯

愛称
路線名のフラワー長井線にちなみ"フラワーライナー"と呼ばれている。

デザイン
白鷹町の「紅花」ラッピングで走るのはYR-883。

「花結びより」のラッピング車は、貸切や団体列車としても活やくする「シンボル車両(食堂車)」。

もともとJR東日本長井線だったが、第三セクターの山形鉄道に生まれ変わった。沿線には花の名所が多いことからフラワー長井線という愛称で親しまれ、沿線の市町村の花が車両いっぱいにラッピングされてはなやかだ。

走行地域

動力　ディーゼル
両数　1両

車両おもしろポイント
宮内駅の駅長は、うさぎの"もっちぃ"。駅務室の中に10時から17時までいる。水曜日が定休日。乗車券や入場券を買うと、勤務しているようすを見られる。

175

福島交通 1000系

私鉄 7 普通列車

25年ぶりの新形式車両

〈おもな路線〉
飯坂線

| 最高時速 | 60km | 定員 | 88名 | レア度 | ●●○ |

デザイン
ステンレスの車体に「ダークブラウン」のはばを広く、上下に「ピーチフラワー」と「シャンパンゴールド」のラインが入る。

車内 窓には飯坂温泉の四季をイメージした"ももりん"というキャラクターのイラストをラッピング。

車内 車両の前後に「飯坂温泉」と「ゆ」ののれんがかかり、温泉気分が味わえる。

「わたしのまちの、たからもの」として福島交通に登場した25年ぶりの新形式車両。地域や沿線の7つの「いい」もの、「いい」ところを色で表現。車両は東急電鉄で走っていた1000系をゆずりうけ、リニューアルした。

走行地域

| 動力 | 電気 | 両数 | 2両 |

車両おもしろポイント
窓にラッピングされている四季のイラストは4種類。それぞれのイラストのなかに必ず"ブラックももりん"がかくれているので探してみよう。

札幌市交通局 **東豊線のニューフェイス**

9000形

普通列車

〈おもな路線〉
東豊線

| 最高時速 | 70km | 定員 | 176名 | レア度 | ● |

パンタグラフ

札幌市交通局の地下鉄線では初めてシングルアーム式のパンタグラフがとりいれられた。

性能

ATO（自動列車運転装置）を搭載し、車掌は乗車せず運転士ひとりで自動運転を行う。

デザイン

札幌市立大学デザイン学部の学生と札幌市交通局の若手職員とで意見を出し合った。

地下鉄東豊線が可動式のホーム柵をつくるのに合わせて登場。白い車体と、乗降扉を東豊線のラインカラーであるスカイブルーにしたことで、札幌の空の広がりをイメージするさわやかなデザインになっている。

走行地域

動力 電気　両数 4両

車両おもしろポイント

ATOは運転を自動化させたシステムだ。東豊線では運転士がボタンを押すと列車が走り始め、駅に着くと自動でとまる。扉の開閉もボタンを押すだけだ。

仙台市交通局 伊達政宗の歴史を未来へ
2000系

普通列車

〈おもな路線〉
東西線

最高時速 70km ／ 定員 128名 ／ レア度

デザイン
側面の上にある青いラインは、空や川、海を表している。

性能
リニアモーターで走るので、急な坂にも強い。

デザイン
前面の窓の下は、伊達政宗の兜についていた三日月の飾り物をイメージ。

車両の床の下と線路に電磁石を取りつけ、磁石の力で鉄の車輪を回して走る、鉄輪式のリニアモーターカー。リニアといっても浮いて走るわけではない。車両は仙台の戦国大名だった伊達政宗をモチーフにデザインされた。

走行地域

動力 電気 ／ 両数 4両

車両おもしろポイント
リニアモーターで動く車両は、車両全体が小さいのでトンネルも小さくてすむ。資金が節約できるので、最近は都市部の地下鉄でこの方式が多くみられる。

JR東日本
次世代通勤型車両の標準形
E235系

普通列車

〈おもな路線〉
山手線

| 最高時速 | 120km | 定員 | 534名 | レア度 | ●●○ |

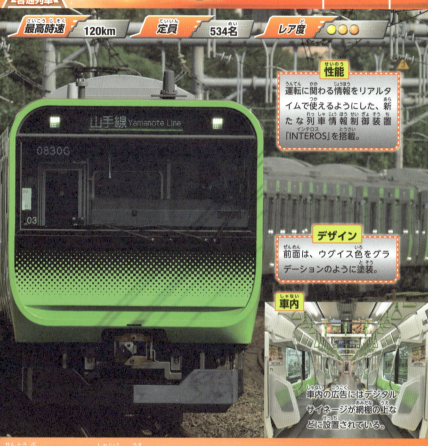

性能
運転に関わる情報をリアルタイムで使えるようにした、新たな列車情報制御装置「INTEROS」を搭載。

デザイン
前面は、ウグイス色をグラデーションのように塗装。

車内
車内の広告にはデジタルサイネージが網棚の上などに設置されている。

先頭部はライトが車両の上にまとまり、側面はたてのラインが入っている。車内はシートの背もたれやつり革が、山手線のラインカラーであるウグイス色。全ての車両に車イスやベビーカーが置けるフリースペースがある。

走行地域

車両おもしろポイント
最初に登場した編成には、1、11号車に電車線路設備計測用アンテナ、3号車に架線状態監視装置などがある。「INTEROS」により検測車のはたらきもできる。

| 動力 | 電気 | 両数 | 11両 |

179

JR東日本

8つのラインバリエーション

E233系

〈おもな路線〉
中央快速線、埼京線、横浜線など

普通列車

| 最高時速 | 120km | 定員 | 843名 | レア度 |

性能
同じ湘南カラーのE231系と連結して走ることもある。

3000番台
オレンジと緑色の、いわゆる湘南色とよばれるライン○車両。湘南新宿ラインや上野東京ラインで走っている。

車両
4、5号車は2階建てのグリーン車（一部は1階建て）。グリーンアテンダントも乗車している。

E231系

E233系のもとになったE231系。

E233系 大集合

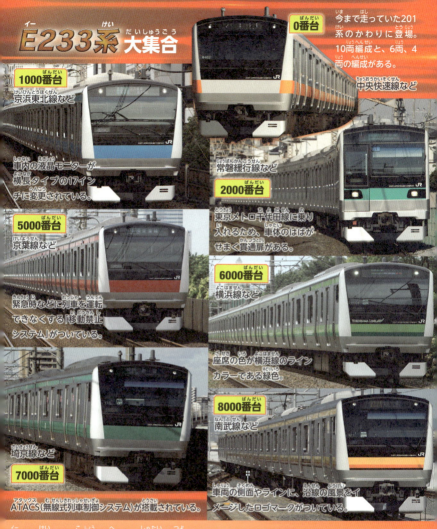

0番台
今まで走っていた201系のかわりに登場。10両編成と、6両、4両の編成がある。
中央快速線など

1000番台
京浜東北線など
車内の液晶モニターが横長タイプの17インチに変更されている。

2000番台
常磐緩行線など
東京メトロ千代田線に乗り入れるため、車体のはばがせまく貫通扉がある。

5000番台
京葉線など
緊急時などに列車を運転できなくする「移動禁止システム」がついている。

6000番台
横浜線など
座席の色が横浜線のラインカラーである緑色。

7000番台
埼京線など
ATACS（無線式列車制御システム）が搭載されている。

8000番台
南武線など
車両の側面やラインに、沿線の風景をイメージしたロゴマークがついている。

E231系より故障を減らし車体も強くし、座席の座り心地もよくなった。その後、中央線の0番台の通勤型が登場。左ページの写真の3000番台は近郊形として東海道本線で走っている。8つのラインカラーがある。

走行地域

動力 電気　両数 15両

車両おもしろポイント
E233系のライト類は全て窓の上にある。両サイドに縦に白いラインが入り、行き先表示器はフルカラーのLEDなのが、E231系とのちがいだ。

181

JR東日本 普通列車

通勤型で初の交直流形

E501系

〈おもな路線〉
常磐線、水戸線

最高時速 120km ・ 定員 522名 ・ レア度 ●●○

デザイン
209系を手本につくられたので、総武本線や東金線、八高線などを走る209系と外観はほとんど同じ。ただし中央・総武線や武蔵野線を走る209系とは形がちがう。

性能
通勤型としては直流区間も交流区間も両方走れる交直流電車。

デザイン
常磐線のラインカラーであるエメラルドグリーンの上に白いラインが加わった。

常磐線を利用する乗客が増えたので、乗降扉を今までの3つから4つにして、座席もすべてロングシートにした通勤型電車。取手駅から北で直流と交流が切りかわっているため、両方に対応した交直流電車だ。

走行地域

動力 電気 ・ 両数 10両

車両ざんねんポイント
常磐線の通勤型電車として活やくしていた。上野発着の常磐線の車両が全てE531系になり、E501系は土浦から北側と水戸線の運用にかわってしまった。

JR東日本

オール2階建ての通勤電車
215系

普通列車

〈おもな路線〉
東海道本線、湘南新宿ライン

| 最高時速 | 120km | 定員 | 1010名 | レア度 | ●●●○ |

デザイン
側面はベージュと2階の窓の周りをダークグレーで、乗降扉はあずき色に塗られている。前面は白く、貫通扉もあずき色だ。

車両
両方の先頭車両にだけモーターと機械類が集中しているため、1階に座席はない。

車両
2階建てなので車両は大きいが、パンタグラフの高さを低くしたため、トンネルの小さい中央本線も走れる。

東海道本線の沿線から都心へ通う人が座れるよう、座席を増やすために在来線で初めて全ての車両を2階建てにした。現在は「おはようライナー新宿」や「ホームライナー小田原」といった通勤専用の列車として活やくしている。

走行地域

車両おもしろポイント
215系は両先頭車が電動車で、中間の車両は全て付随車というプッシュプルと呼ばれる方式だ。この方式はフランスのTGVなど、海外の高速鉄道に多い。

| 動力 | 電気 | 両数 | 10両 |

183

JR東日本 架線のない非電化区間を走る電車

EV-E301系

"普通列車"

〈おもな路線〉
烏山線、東北本線

最高時速 **100km** ／ 定員 **99名** ／ レア度 ●

性能
リチウムイオン電池を使った「主回路用蓄電池」が1両につき5台積まれている。

愛称
「ACCUM」の愛称をもつ。

デザイン
沿線風景になじむよう、前面や側面にグリーンのストライプを入れている。

電化区間ではパンタグラフを上げて走りながら蓄電池に電気を充電、非電化区間ではパンタグラフを下げ、充電池にためた電力で走る蓄電池駆動電車。非電化区間では気動車にくらべて排気ガスや騒音が少なく、環境にやさしい。

走行地域

動力 **電気** ／ 両数 **2両**

車両おもしろポイント
終点の烏山駅に、新しく変電所や架線がつくられた。宇都宮駅へ折り返すため「ACCUM」が駅にとまっている時間に、少しでも電気を充電するためだ。

東武鉄道

私鉄 7 普通列車

日比谷線に直通する次世代車両
70000系(けい)

〈おもな路線〉
伊勢崎線、東武日光線、東京メトロ日比谷線

最高時速 110km ／ 定員 345名 ／ レア度 ●

デザイン
「イノベーションレッド」を全面に「ピュアブラック」のライン。

台車
20mの車両が急カーブでも静かで安全に曲がれるよう、車軸が動く「操舵台車」をとりいれた。

車両
相互直通乗り入れする東京メトロ日比谷線の13000系と、ほとんどの部分が同じようにつくられた。

急カーブが多い東京メトロ日比谷線は車両の長さが18mと短く、乗降扉も数のちがう車両が混ざっていた。日比谷線のホームドア設置に合わせて登場したのが、車両の長さが20mで4つの乗降扉を持つ70000系だ。

走行地域
動力 電気 ／ 両数 7両

車両おもしろポイント
70000系と日比谷線の13000系は共通点が多いが、間接照明で床が紺色の13000系に対し、70000系の車内は直接照明で白の床に赤い座席が並んでいる。

185

西武鉄道 座席指定列車「S-TRAIN」

40000系

〈おもな路線〉
西武池袋線、西武有楽町線、東京メトロ有楽町線

| 最高時速 | 105km | 定員 | 440名 | レア度 | 🟡🟡🟡⚪ |

デザイン
丸みを帯びた前面には西武鉄道のコーポレートカラーと、沿線の「山の緑と空の青」をイメージした色を組み合わせている。

デザイン
乗降扉のあたりに号車やフリースペースなどのピクトグラムを表示。

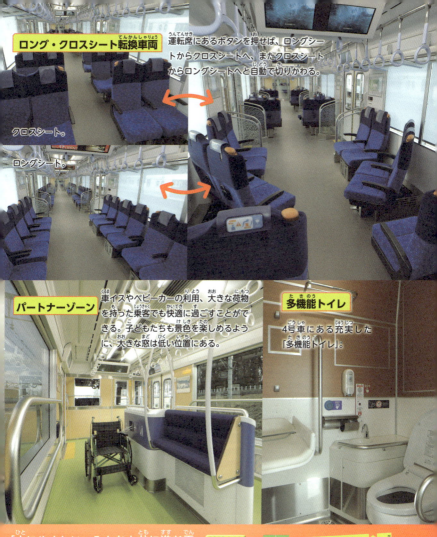

ロング・クロスシート転換車両

運転席にあるボタンを押せば、ロングシートからクロスシートへ、またクロスシートからロングシートへと自動で切りかわる。

クロスシート。

ロングシート。

パートナーゾーン

車イスやベビーカーの利用、大きな荷物を持った乗客でも快適に過ごすことができる。子どもたちも景色を楽しめるように、大きな窓は低い位置にある。

多機能トイレ

4号車にある充実した「多機能トイレ」。

「人にやさしい、みんなと共に進む電車」をめざす。ロングシートとクロスシートを自動で変えることができる。クロスシートのときには座席指定列車「S-TRAIN」として、平日の通勤時間帯や土休日の旅行客用に走っている。

走行地域

動力 電気　両数 10両

車両おもしろポイント

子どもや子ども連れの乗客にも便利なことが評価され、鉄道車両としてははじめてキッズデザイン賞の最優秀賞である「内閣総理大臣賞」を受賞した。

187

京王電鉄

7 私鉄

普通列車

「京王ライナー」としても走る

5000系

〈おもな路線〉
京王線、相模原線

最高時速 110km　定員 438名　レア度 ●●●○

性能
停電しても、ためた電力で走ることができる「車上蓄電池システム」を搭載。

デザイン
今までの車両よりも先頭車両を500mm長くして流線形のようにし、黒く塗ることでスマートなイメージにした。

車両
ステンレスの板をレーザー溶接でつないでいる。

京王電鉄として25年ぶりの新型車両。ロングシートとクロスシートを自動で変えられる。「京王ライナー」として走るときは、クロスシート。平日の夜間と土休日の夕方から夜は新宿発京王八王子行き、または橋本行き。

走行地域

動力 電気　両数 10両

車両おもしろポイント
「京王ライナー」ではインターネットで座席を予約し、座席指定券の実物をを持たなくても指定した席に座れる「チケットレスサービス」がある。

相模鉄道 東急東横線乗り入れ車両

20000系

〈おもな路線〉
本線、いずみ野線

私鉄 7 普通列車

最高時速 120km ／ 定員 498名 ／ レア度 ●●●○○

デザイン
前面には、かつて寝台特急を牽引していたEF66形電気機関車をヒントにしたかざりがある。

車両
東急線へ乗り入れるため、車両のはばは、今までよりも20cmせまい。

デザイン
濃紺の「YOKOHAMA NAVYBLUE」を、実際に塗料で塗っている。

2022年開業予定の、相鉄本線と東急線をつなぐ"相鉄・東急直通線"を通って東急東横線に乗り入れる車両。日立製作所の「A-train」という規格でつくられた。車内には昔の相鉄線の車両についていた鏡も復活した。

走行地域

動力 電気 ／ 両数 10両

車両おもしろポイント
JR東海道本線にも乗り入れる"相鉄・JR直通線"は、2020年までに完成予定。JRに乗り入れるため、20000系とは別の車両を開発中だ。

箱根登山鉄道

「バーミリオンはこね」が山を登る
3100形

普通列車

〈おもな路線〉
鉄道線

最高時速	定員	レア度
40km	70名	●●○

愛称
愛称は「アレグラ号」。"アレグラ"とは、協力しているスイスの登山鉄道が走る地域で「こんにちは」というあいさつの言葉。

車両
前面に大型のガラスを使用し、側面にも足元から天井近くまである「展望窓」をつくっている。

デザイン
車両のデザインは小田急のロマンスカーなどを手がけた岡部憲明。赤色に近い塗装は「バーミリオンはこね」と呼ばれている。

箱根の景色を楽しめる大きな窓がついた、山を登る列車。混雑時には「展望窓」近くの一部の座席を折りたためる。2両連結の編成だが、路線は急カーブが多く車両が「く」の字になって走るため、車両間の移動はできない。

走行地域

動力 電気　両数 2両

車両おもしろポイント
日本一の急カーブと急坂を走るため、故障などで普通のブレーキがきかないときは、レールに石を押しつけてとまる「レール圧着ブレーキ」を備えている。

デハ100形

上毛電鉄 / 日本一のおじいちゃん電車 / 私鉄 / 普通列車

〈おもな路線〉
上毛線

- 最高時速 60km
- 定員 48名
- レア度 ●●●●○

性能
車軸にモーターをのせる「吊りかけ式」という昔ながらの方法。独特のモーター音を出して走る。

デザイン
昔使われていた「ぶどう色2号」というチョコレート色の外観。

車内 照明も電球を使い、木の床で温かみがある。

1928年につくられた、現在走ることのできる電車の中でもっとも古い車両。車体の骨組みなどをつなぎあわせるための釘が、車体のあちこちに飛び出しているのが特ちょうだ。イベントや貸し切り列車などとして走っている。

走行地域

車両おもしろポイント
デハ100形のデハ104や、電気機関車デキ3021や貨車テ241など、貴重な車両が大胡電車庫に保存されている。予約をすれば見学することができる。

動力 電気　両数 1両

191

東京都交通局 普通列車

「東京さくらトラム」を行く、レトロ風な都電

9000形

〈おもな路線〉
荒川線

最高時速 40km　定員 22名　レア度 ●●●○

デザイン
昭和初期の東京を走っていた市電をイメージしている。

車両
青いカラーの9002。

デザイン
鉄道の車両ではめずらしい、だ円形の窓も側面についている。

「東京さくらトラム」という愛称の都電荒川線で走るレトロ車両。昔の車両らしく、車内に明かりを入れるための屋根の窓も似せてつくっている。9000形の登場に合わせて、三ノ輪橋や庚申塚などの停留所もリニューアルした。

走行地域

車両おもしろポイント
荒川車庫前のそばには、昔都電を走っていた5500形や旧7500形などを展示した「都電おもいで広場」がある。土日祝日の10時〜16時に無料開放される。

動力 電気　両数 1両

東京メトロ 特別仕様車も登場

私鉄 7 普通列車

1000系

〈おもな路線〉
銀座線

最高時速 80km ／ 定員 216名 ／ レア度 ●

車内

デザイン
特別仕様車のヘッドライトは1灯。横のラインもなく1000形に近づけた。

特別仕様車のシートは1000形に近い緑色で、吊手は「涙型」の「リコ式吊手」を再現。

約90年前から40年ほど銀座線を走っていた1000形をモチーフにした車両。レトロな1000系は人気になったため、外観や車内のようす、室内予備灯や手すり、銘板など、とことん1000形に似せた特別仕様車が追加された。

走行地域

動力 電気 ／ 両数 6両

車両おもしろポイント
40編成もある銀座線1000系のうち、特別仕様車はわずかに2編成で、出会う確率は低い。見ることができたら何かよいことが起きるかもしれない。

193

東京都交通局

モデルチェンジ車もデビュー

12-600形

〈おもな路線〉
大江戸線

普通列車

| 最高時速 | 70km | 定員 | 328名 | レア度 | ● |

愛称
「12-600」と書いて「イチマンニセンロッピャク」と読む。

性能
磁石の力で走る鉄輪式のリニアモーターカー。

デザイン
ホームドアに隠れないよう、車体の上の方にもラインカラーが入っている。

古くなった12-000形と入れかえるために、今までの12-600形をモデルチェンジした車両も登場した。大江戸線は関東ではじめて鉄輪式のリニアモーターを採用した地下鉄路線だ。

走行地域

動力 電気　両数 8両

車両おもしろポイント
都営12号線の開業前、リニアモーターなどの試作車が2両つくられた。この車両は豊島区千早フラワー公園で9時～17時(11月～3月は～16時)に見学可。

横浜市交通局

ブルーラインの新しい顔
3000V形

〈おもな路線〉
1号線

公営 普通列車

最高時速 70km ・ 定員 168名 ・ レア度

デザイン
乗降扉の横にはヨットの帆をイメージしたラインがある。

車内
横浜の観光名所とカモメのイラストが描かれた室内貫通扉。

性能
脱線を防ぐため、走りながら線路の状態を測ることができる「PQモニタリング台車」。

横浜市交通局ブルーライン（1号線）の新型車両で、3000形としては5回目のモデルチェンジ。ブルーラインの車両としてははじめてLCD型車内案内表示器を搭載し、フルカラーで4か国語に対応している。

走行地域

動力 電気 ・ 両数 6両

車両おもしろポイント
6両編成なので、室内の貫通扉は5枚。それぞれの扉に描かれた観光名所は「みなとみらい」「赤レンガ」「三塔」「山下公園」「ベイブリッジ」の5種類だ。

オモシロ駅舎大集合！

日本各地には、おもしろい形をした駅舎がたくさんあるよ。その形をしているのは、その町の歴史と深〜い関係があるんだ。見た目のジャンル別にしょうかいしよう。

生きもの編

こわくないカッパ

JR久大本線
田主丸駅（福岡県）

久留米市田主丸町はカッパ伝説の残る町。田主丸駅舎内のふるさと会館にカッパ伝説の展示があるほか、ホームにも大きなカッパ、駅前に楽太郎河童像と、カッパづくしの駅だ。

JR中央本線・京王電鉄高尾線
高尾駅（東京都）

ホームに天狗が！

天狗伝説が残り、山伏の修行の場である高尾山。北口駅舎はお寺や神社のような形で、関東の駅百選に選ばれている。ホームでは巨大な天狗の頭が乗降客を見守っている。

するどい目つきのネコ

和歌山電鐵貴志川線
貴志駅（和歌山県）

運営が南海電気鉄道から和歌山電鐵にかわって無人駅になったあと、売店の飼い猫が「たま駅長」に就任し、人気を集めた。駅舎を建て替えるときに、「たまステーション貴志駅」として生まれかわった。

平成筑豊鉄道田川線
犀川駅（福岡県）

犀川の"さい"をもじり、動物のサイに似せてつくられたそうだが、どちらかというと近未来的なサイ型ロボットのよう。ツノに見立てたとんがり屋根の中には、樹齢400年のヒノキの木が垂直に立ててかざってある。

これでもサイ

わらっている？カメ

JR津山線
亀甲駅（岡山県）

近くにカメの甲羅のような形をした亀甲岩があることから、カメが町のキャラクターとして親しまれている。駅舎の屋根からつき出したカメの頭の目は時計だが、夜になると光る！

乗りもの編

真岡鐵道真岡線
真岡駅 (栃木県)

全体がSL

週末や祝日にSLを運行して観光客を集めている真岡線。その車両基地でもある真岡駅の駅舎はSLの形をしていて、市の情報センターやSLギャラリーを備えた複合施設だ。

JR五能線
艫作駅 (青森県)

船がのっちゃった

艫作駅がある深浦町は、江戸時代、大阪と北海道を結んで米や塩、ニシン、昆布を運んでいた北前船の寄港地だった。それにちなんで、駅舎の屋根には北前船のデザインが取り込まれている。

北越急行ほくほく線
くびき駅 (新潟県)

まるで宇宙船のよう

銀色にかがやく楕円形の建物は、まるで星々をめぐる宇宙船のように見える。中の待合室も、曲線的な壁に丸い窓がある、未来的なイメージのつくりになっている。

食べもの編

巨大なきりたんぽ

JR奥羽本線・花輪線
大館駅（秋田県）

秋田県の名物といえば、すりつぶしたご飯を串に巻いて焼いたきりたんぽ。きりたんぽ発祥の地である大館駅では、2本の巨大なきりたんぽが乗降客を見守ってくれている。

JR日豊本線
杵築駅（大分県）

ホームに降り立つと、目に飛び込んで来るのは、オレンジ色の物体！ 杵築市はみかんの産地として有名で、ホームのベンチも輪切りにしたみかんの形をしているのだ。

ベンチがみかん

看板がモモ

阿武隈急行線
保原駅（福島県）

福島盆地のほぼ真ん中、阿武隈川沿いに位置している保原は、果物の栽培がさかんだ。とくにモモの産地として有名で、保原駅のホームの看板も、特産のモモをかたどっている。

199

お城編

洋風なお城

JR山形新幹線・奥羽本線
高畠駅（山形県）

高畠は、『泣いた赤鬼』などの作品で知られる童話作家、浜田広介の出身地。高畠駅は、童話に出てくるお城のような、とんがり屋根の建物で、夕方には美しくライトアップされる。

南阿蘇鉄道
阿蘇下田城ふれあい温泉駅（熊本県）

かわら屋根と白い壁の建物で、昔の日本のお城のような形をしている。中に温泉施設があるほか、3〜11月の土・日曜日と祝日には、トロッコ電車も運行している。

和風なお城

陸の上に竜宮城

小田急電鉄江ノ島線
片瀬江ノ島駅（神奈川県）

海底にあるという竜宮城をイメージした緑と赤の建物で、観光スポットの1つになっている。現在は、より本格的な竜宮城風の駅舎にするために改築中で、2020年に完成する予定。

にんぎょうへん 人形編

巨大な土偶が！

JR五能線
木造駅（青森県）

駅正面の壁をかざる巨大な土偶が、見る人をおどろかせる。これは近くの亀ヶ岡遺跡で出土した遮光器土偶をモチーフにしたもので、地元の人々には「しゃこちゃん」の愛称で親しまれている。

JR仙山線
作並駅（宮城県）

等身大のこけし

作並駅は、伝統的なこけしづくりでも知られる作並温泉の玄関口にあたる。駅舎内では、人間と同じぐらいの大きさがある2体のこけしが、観光客を出むかえてくれる。

駅キャラクターがお出迎え

土佐くろしお鉄道ごめん・なはり線
奈半利駅（高知県）

ごめん・なはり線は、駅ごとにキャラクターがいる。キャラクターは、高知県出身のマンガ家やなせたかしが考えたもので、終着駅の奈半利駅では、なは りこちゃんの人形が出むかえてくれる。

JR東日本 普通列車

世界初のハイブリッドディーゼルカー

キハE200形

〈おもな路線〉
小海線

- 最高時速 100km
- 定員 92名
- レア度 ●●○

愛称
小海線の専用車であることから愛称は「こうみ」。

性能
リチウムイオンの蓄電池を搭載したハイブリッドシステム。

デザイン
車両の両方に運転台があり、乗降扉は片開きだ。

営業用として世界初のハイブリッドシステムを使用した気動車。ディーゼルエンジンで直接走るのではなく発電機と蓄電池とを組み合わせてモーターを動かしている。この技術はEV-E301系やHB-E210系にも使われている。

走行地域

- 動力 ディーゼル
- 両数 2両

車両おもしろポイント
燃料の消費が減り、有害物質も約60％減らした。停車中は蓄電池の電力で照明や冷暖房を動かしエンジンは停止しているので、騒音も低くなった。

JR東海

東海地区の標準型車両
313系

〈おもな路線〉
東海道本線、中央本線、飯田線

| 最高時速 | 120km | 定員 | 91名 | レア度 | ● |

車両

車両
軽量のステンレス車両で、乗降扉は片側に3つある。

名古屋〜南木曽間の中央本線では、8000・8500番台も運転されている。

デザイン
前面は白く、側面にかけてJR東海の色のオレンジのラインが窓の上と下にある。

東海地区で特別快速や区間快速、ホームライナーからローカル線の普通列車までははば広く活やくをする次世代標準車両。使用される線区の状況などによって転換クロスシートとセミクロスシートのタイプなどの車両がある。

走行地域

| 動力 | 電気 | 両数 | 2両 |

車両ざんねんポイント
JRの特別快速は豊橋〜名古屋間を最速52分で運賃は1320円。名古屋鉄道は料金不要の特急が名鉄名古屋まで最速49分で運賃は1110円と速くて安い。

203

JR東海

313系版のディーゼルカー

キハ25形

普通列車

〈おもな路線〉
太多線、高山本線、紀勢本線

最高時速 95km ／ 定員 88名 ／ レア度 ●●○

性能
1両につき450馬力のエンジンが1台ある。どちらか1台が故障した場合、自動的に520馬力まで出せる。

運転台
JR東海の気動車初のワンハンドルマスコン。

車両
貫通路の上にあるヘッドライトとパンタグラフがないだけで、見た目は313系と変わらない。

外観、内観とも313系電車そっくりのJR東海の標準型気動車。トイレのある0番台とトイレのない100番台、高山本線など寒冷地仕様の1000・1100番台や、参宮線、紀勢本線などを走る暖地用の1500・1600番台がある。

走行地域

動力 ディーゼル
両数 2両

車両おもしろポイント
JR東海の新型気動車には快速「みえ」で使用されるキハ75形もある。その前面は運転台の周りが黒いので一目でわかる。最高時速も120kmで特急並みだ。

204

JR西日本 交直流近郊型の標準車両
415系

普通列車

〈おもな路線〉
七尾線、IRいしかわ鉄道線

最高時速 100km　定員 161名　レア度

デザイン
茜色1号という色で全面塗装されている。

性能
交直流特急電車485系を183系に改造したときあまった交流関係の機械を使用。

車両
九州を走る1500番台は211系を手本にしたステンレス車。

鹿児島本線などが交流電化したときにつくられた401系や421系。415系はこれらを基本に、直流、交流50Hz、交流60Hzのどこでも走れるようにつくられた。写真の800番台は、113系を改造した車両で、七尾線を走る。

走行地域

動力 電気　両数 3両

車両おもしろポイント
415系のモハ414-802は113系のモハ112-12を改造した車両。モハ112-12は1964年7月7日につくられた、現在JRで走る電車の中で、いちばん古い車両だ。

205

富士急行 私鉄 普通列車

トーマスのなかまがいっぱい
5000系

〈おもな路線〉
富士急行線

- 最高時速 60km
- 定員 256名
- レア度 ●●○

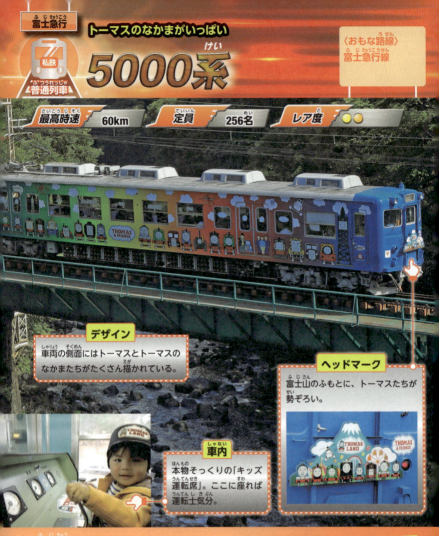

デザイン
車両の側面にはトーマスとトーマスのなかまたちがたくさん描かれている。

ヘッドマーク
富士山のふもとに、トーマスたちが勢ぞろい。

車内
本物そっくりの「キッズ運転席」。ここに座れば運転士気分。

富士急ハイランドにあるトーマスランド。電車内でもその世界を楽しめるようにとつくられたのが「トーマスランド号」。車内にも「トーマスチェア」やトーマスたちが描かれたロールカーテンなど楽しいしかけがたくさんある。

走行地域

- 動力 電気
- 両数 2両

車両おもしろポイント
富士急では「トーマスランド20周年号」も走っている。しかし5000系の「トーマスランド号」は、残念ながら2019年2月の引退が決まってしまった。

206

伊豆急行 キンメダイを食べにいこう

2100系

私鉄 / 普通列車

〈おもな路線〉
伊豆急行線、伊東線

- 最高時速 110km
- 定員 333名
- レア度 ●●●○

デザイン
赤がメーンの色使い。シルバーグレーのグラデーションは、鉄道車両としてはめずらしい。

愛称
長い正式名称を略して「キンメ電車」と呼ばれている。

車内
車内のいたるところにキンメダイが描かれている。

美しい景色を楽しめる展望席や海側に向いた「パノラマシート」のある観光用車両「リゾート21」。沿線6市町と共同で、伊豆の特産品をPRする地域プロモーション列車「キンメダイを食べたくなる電車」としてリニューアルした。

走行地域

- 動力 電気
- 両数 7両

車両おもしろポイント
イヌやネコ、ウサギなど、全国にはたくさんの動物駅長がいるが、伊豆急下田駅には、下田市の海岸に産卵にくるアカウミガメの駅長がいる。

207

名古屋鉄道 特急の機器をリサイクル

5000系

私鉄 7 普通列車

〈おもな路線〉
名古屋本線、犬山線、各務原線

最高時速 120km　定員 192名　レア度 ●●○

性能
冷房も1000系のお下がり。1両に2台ついている。

車両
車両の長さは18m級のステンレス車で乗降扉は片側3つ。

デザイン
前面と側面に赤いスカーレットのラインが入る。

1000系「パノラマsuper」の部品や機械類を再利用し、新しくつくった車体と組み合わせて誕生したリサイクル電車。車内は優先席の数を今までの通勤電車よりも増やしている。4両編成が14本つくられ、合計56両の車両数だ。

走行地域

車両おもしろポイント
実は以前も5000系という特急車両があった。豪華なシートと特急料金がかからなかったので、JRになる前の国鉄が開発した80系よりも人気があった。

動力 電気　両数 4両

HK100形

北越急行 / 7 三セク / 普通列車

トンネルに入ると、そこは夢の空

〈おもな路線〉
ほくほく線、上越線、信越本線

| 最高時速 | 110km | 定員 | 56名 | レア度 | ●●○○ |

ヘッドマーク
鳥が大空を羽ばたいているような「ゆめぞら」のヘッドマーク。

デザイン
「ゆめぞら」の車両は赤いラインだ。

車内

トンネル内では天井が巨大スクリーンに早変わり。上映トンネルは5か所だ。

北越急行オリジナルの普通列車用で12両ある。その中の4両は、長いトンネルに入ると、映像を天井に映しだす「ゆめぞら」という列車に使用される。日曜のみの運転なので日にちと時間を確認しよう。

走行地域

動力 電気 / 両数 2両

車両おもしろポイント
日本初のシアター・トレイン「ゆめぞら」の天井に映しだされる映像は「花火」「天空」「海中」「星座」「宇宙」の5種類。三菱電機エンジニアリングの協力で実現。

209

新260系

四日市あすなろう鉄道 / 三セク / 普通列車

ナローの世界にようこそ

〈おもな路線〉
内部線、八王子線

- 最高時速 45km
- 定員 118名
- レア度 ●●●○

デザイン
青いラインの車両もある。

車内
車両が小さいので、もちろん車内もせまく、ひとりがけのクロスシートが並んでいる。取っ手はハート形で、心も和む。

ロゴマーク
四日市あすなろう鉄道の会社のロゴマーク。四日市の「Y」とあすなろうの「A」が組み合わされている。

四日市あすなろう鉄道の内部線と八王子線は、線路のはばが762mm。JRの在来線よりせまく、ナローゲージと呼ばれている。新260系は260系の先頭車をリニューアル。中間車と一部の先頭車を新たにつくって登場した。

走行地域

- 動力 電気
- 両数 3両

車両おもしろポイント
内部線と八王子線は、もともと近畿日本鉄道の路線だった。赤字のため、第3セクターの「四日市あすなろう鉄道」をつくり、運営している。

愛知高速交通

7 三セク 普通列車

宙に浮いて走るリニアモーターカー
100形

〈おもな路線〉
東部丘陵線

- 最高時速：100km
- 定員：104名
- レア度：★

愛称
車両の走る東部丘陵線の愛称は「Linimo」だ。

車内
前面はガラスばりで、ながめがよい。ATOで自動運転されているので、運転士はいない。

性能
浮上式のリニアモーターカー。6mmほど浮いて走る。

愛知万博の年に登場した、営業用としては日本初の磁気浮上式リニアモーターカー。磁石の力で浮いて走るので騒音や振動が少なく、急な坂でもスムーズに走れるので乗り心地もよい。
ATOによる自動運転が行われている。

走行地域

- 動力：磁力
- 両数：3両

車両ざんねんポイント
同じリニアモーターカーでも、超電導式のL0系は超電導磁石を利用した車両なので、100形とちがって時速500km以上の高速で走ることができる。

211

名古屋市交通局 N1000形

普通列車 / 公営

名古屋初の地下鉄路線を走る

〈おもな路線〉
東山線

- 最高時速 65km
- 定員 210名
- レア度 ●●○

性能
列車が走るレールとは別にあるもう1本のレールから車両に電気を取りこむ第三軌条方式なので、架線やパンタグラフがない。

性能
車両の状態がわかり、点検や検査なども行える「車両情報装置」を搭載。

デザイン
前面はラインカラーの黄色をシンプルな平面でデザインし、側面は窓の上下にラインを入れた。

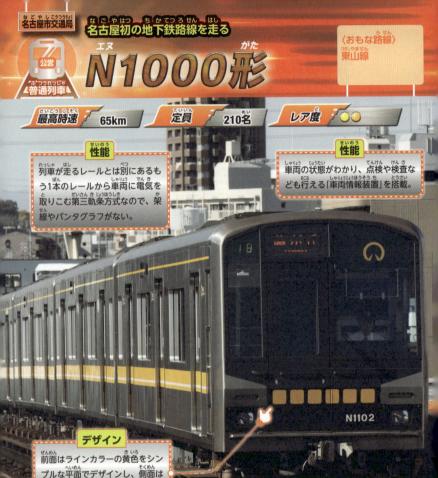

名古屋市交通局の地下鉄の中で、もっとも歴史が古く乗客の多い東山線を走る。車内のシートは温かみのあるえんじ色だ。全てステンレスの車両で、製造した会社は日本車輌製造。独自の日車式ブロック工法でつくられた。

走行地域

車両おもしろポイント
名古屋市交通局は地下鉄NO.1が多い。東山線は最終電車が日本一遅く、名城線は地下鉄ただひとつの環状線。上飯田線は2駅のみの日本一短い地下鉄路線。

- 動力 電気
- 両数 6両

JR西日本
大阪環状線の新しい顔
323系

〈おもな路線〉
大阪環状線、桜島線

普通列車

最高時速 100km ／ 定員 372名 ／ レア度 ●●

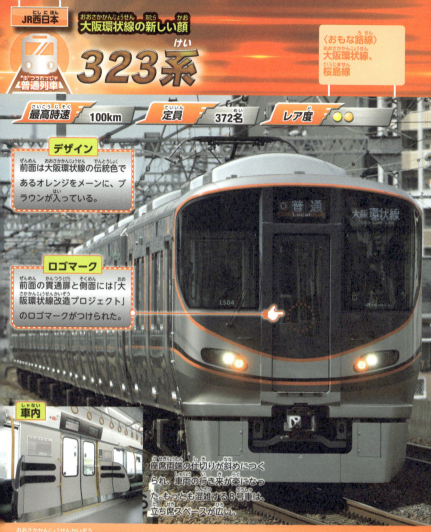

デザイン
前面は大阪環状線の伝統色であるオレンジをメーンに、ブラウンが入っている。

ロゴマーク
前面の貫通扉と側面には「大阪環状線改造プロジェクト」のロゴマークがつけられた。

車内

座席両端の仕切りが斜めにつくられ、車両の行き来が楽になった。もっとも混雑する8号車は、立ち席スペースが広い。

「大阪環状線改造プロジェクト」のひとつとしてデビュー。車両の連結部にある貫通扉は軽い力で開け閉めできるアシストレバーがついている。立ち上がりを補助するひじかけを優先席につけ、お年寄りにも優しい車両だ。

走行地域

動力 電気 ／ 両数 8両

車両おもしろポイント
大阪環状線には乗降扉が1両に4つの車両と3つの車両があり、ホームの乗降口がわかりづらかった。323系を3扉車にしたことで、乗降口が統一された。

213

JR西日本 さまざまな快速として走る 225系

〈おもな路線〉
東海道本線、山陽本線、北陸本線

| 最高時速 | 130km | 定員 | 420名 | レア度 | ●● |

デザイン
100番台は前面の表示にはフルカラーLEDを使用し、デザインなどは227系が手本。

性能
全ての車両の片方の台車にモーターを取りつける「0.5M」という方式。

車両

5100番台は4両編成。Wi-Fiのサービスもある。

JR西日本を代表する車両。写真の100番台や最初のグループである0番台は「新快速」、5000・5100番台は「関空快速」、「紀州路快速」、6000番台は「丹波路快速」など、さまざまな快速列車で活やくしている。

走行地域

動力 電気 両数 8両

車両おもしろポイント
225系の車両はステンレス製だが、万が一の衝突時の安全性も考えて、先頭部は強度のある鋼製だ。衝突時の力を吸収するクラッシャブルゾーンもある。

阪急電鉄

7 私鉄 "ふつうれっしゃ" 普通列車

静かさと省エネ性能を追求
1300系

〈おもな路線〉
京都本線、千里線、
大阪メトロ堺筋線

| 最高時速 | 115km | 定員 | 388名 | レア度 | ●●●○ |

車両
1000系よりも車両の全長が100mm短く、横幅は55mm広い。

車体
アルミのダブルスキン構造で、強度もある。

デザイン
阪急車両の伝統をうけつぎ、車体はマルーンカラー。

神戸線・宝塚線の1000系と同じように、「さらなる環境性能の向上」をめざした京都線用の車両。最新のVVVFインバータ制御装置やLED照明を使い、消費エネルギーを約50％も削減。大阪メトロ堺筋線にも乗り入れている。

走行地域

動力 電気　両数 8両

車両おもしろポイント
阪急京都線を走る「京とれいん」が人気。和モダンなラッピングや車内の格子状エントランス、座面の一部にたたみが使われるなど、和のふんいきだ。

215

京阪電鉄 私鉄 普通列車

プレミアムなひとときを味わう
8000系

〈おもな路線〉
京阪本線、鴨東線

最高時速 110km ／ 定員 624名 ／ レア度 ●●●

プレミアムカー
京阪特急のイメージを生かした赤と、特別車両としての品格を金で表している。

車内
座面のはばが460mmという広いリクライニングシートが3列並び、専属のアテンダントも乗車している。

トレインマーク
京阪特急のシンボル「鳩マーク」。

2階建て車両やテレビが見られた「テレビカー」などで人気の高かった京阪特急。「プレミアムカー」という豪華な車両も誕生した。8000系は、朝のラッシュ時に座席指定の「ライナー」としても運転されている。

走行地域

動力 電気 ／ 両数 8両

車両ざんねんポイント
「プレミアムカー」は席がゆったりしているが、トイレはない。特に快速特急「洛楽」は停車駅も少ないので、乗車前に必ずトイレには行っておこう。

近畿日本鉄道

"シリーズ21"のL/Cカー

5820系

7 私鉄 / 普通列車

〈おもな路線〉
奈良線、大阪線、
阪神なんば線

最高時速 110km　**定員** 272名　**レア度** ●●●○

デザイン
窓の下は「クリスタルホワイト」、上部は「アースブラウン」で、間に「サンフラワーイエロー」が入ったカラーリング。

ロゴマーク
阪神なんば線を経由して阪神本線へ乗り入れる車両についている。

車両

同じ"シリーズ21"の3220系は京都市交通局烏丸線にも乗り入れる。

21世紀のスタンダード車両をめざしてデビューした"シリーズ21"。3220系や9820系などの形式があるが、自動でロングシートとクロスシートを変えられるL/Cカーが5820系だ。奈良線、大阪線の急行を中心に走っている。

走行地域

車両おもしろポイント
「人にやさしい」考え方の"シリーズ21"。お年寄りが座席から立ち上がるときに、補助となる両肘掛け付シートの「らくらくコーナー」が乗降扉付近にある。

動力 電気　**両数** 6両

217

和歌山電鐵 2270系

にゃんともネコロジカルな電車

私鉄 7 / 普通列車

〈おもな路線〉
貴志川線

最高時速 65km ／ 定員 70名 ／ レア度 ●○○

デザイン
さまざまなポーズをした「たま駅長」が101匹描かれている。

デザイン
「たま駅長」の耳をイメージしている。

車内
背もたれやクッション、カーテンの柄など、いろいろなところに猫が描かれている。

218

「たま電車」のなかまたち

おもちゃ電車
真っ赤なボディが目をひく列車。「おもでん」や「OMO」という愛称で親しまれている。ガチャガチャマシーンが車内に置かれているのは世界初だ。

いちご電車
和歌山電鐵のリニューアル電車第1号。貴志駅周辺の特産品がいちごであることからつくられた。

うめ星電車
和歌山を代表する特産品で、世界一の梅とされる「南高梅」がモチーフ。

貴志駅のスーパー駅長になったネコの「たま」をモチーフに登場。リニューアルの費用は国内だけでなく、海外からも「たま電車サポーター」としての寄付などで集まった。現在、4種類のリニューアル列車が走っている。

走行地域

動力 電気　両数 2両

車両おもしろポイント
「たま駅長」は残念ながらもういないが、今は猫駅長の2代目となる「ニタマ」が貴志駅で働いている。勤務時間は水曜と木曜をのぞく、10時から16時だ。

219

阪神電鉄 5700系

20年ぶりのジェットカー

私鉄 7 / 普通列車

〈おもな路線〉
阪神本線、神戸高速鉄道東西線

- 最高時速 90km
- 定員 173名
- レア度 ●○○

デザイン
前面は黒がメイン。前照灯の周りや、側面の乗降扉の近くは、普通用車両のシンボルカラーの「カインド・ブルー」を使用。

愛称
半世紀ぶりの"ジェットカー"のステンレス車なので、愛称は"ジェット・シルバー5700"。

座席
大阪寄りの先頭車両には、座面が高く傾斜のついた、立ったり座ったりが楽な「ちょい乗りシート」がある。

阪神電鉄の普通列車の愛称"ジェットカー"。5700系は20年ぶりのフルモデルチェンジ車としてデビューした。座席は、沿線の摂津湾の海をイメージしたブルー。鉄道車両の最優秀賞である「ブルーリボン賞」も受賞した。

走行地域

動力 電気 両数 4両

車両ざんねんポイント
車体が青いので"青胴車"とも呼ばれる。特急や急行などに使われる赤い車両は"赤胴車"と呼ばれるが、現在ではその呼び方はあまり聞かなくなった。

大阪メトロ

私鉄
普通列車

マイナーチェンジでさらに快適な車内へ

30000系

〈おもな路線〉
御堂筋線、北大阪
急行南北線

最高時速 70km　**定員** 404名　**レア度** ●○○○

デザイン
運転席には曲面の大型ガラスを使用。側面の上部や縦方向には「クリムゾンレッド」のラインカラーが入っている。

車両
通勤車両では日本初、空気浄化装置(プラズマクラスター)を一部の車両に使用。

車内
生き物の1日のリズムに合わせ、時間により車内照明を変化させている。

リニューアルして御堂筋線にデビュー。新幹線のグリーン車のようなシートで座り心地をよくし、足元に照明もある。女性専用車両は車内の色をかえ、荷棚や吊り手も低く、女性が使いやすいよう工夫されている。

走行地域

動力 電気　**両数** 10両

車両ざんねんポイント
2018年3月31日、大阪の公営地下鉄は、大阪市交通局から全国で初めて民間の大阪市高速電気軌道(大阪メトロ)に引きつがれ、85年の歴史に幕を閉じた。

神戸市交通局
5000形
リニアモーターで動く海岸線専用車

〈おもな路線〉 海岸線

普通列車

最高時速 70km ／ 定員 136名 ／ レア度

性能
リニアモーターで車輪を動かす鉄輪式のリニアモーターカー。

デザイン
神戸市交通局のグリーンと、海岸線のブルーの2本のライン。

愛称
5000形の走る海岸線は「夢かもめ」の愛称で呼ばれている。

トンネルを小さくして建設費を安くするため、鉄輪式リニアモーターを採用。車体はアルミ製で、小型でもあまりせまく感じないよう工夫されている。10編成で40両の車両があり、ＡＴＯによるワンマン運転だ。

走行地域

動力 電気 ／ 両数 4両

車両おもしろポイント
神戸市交通局の地下鉄路線、西神延伸線。この路線は地下鉄と称しているが、すべて地上の区間を走る。地下を走らない地下鉄は日本中でこの路線だけだ。

JR西日本
広島地区で期待の近郊形電車
227系

普通列車

〈おもな路線〉
山陽本線、可部線、呉線

最高時速 110km　定員 140名　レア度 ●●

愛称
「未来へ羽ばたく赤い翼」などを意味して「Red Wing」と名づけられた。

ロゴマーク
シティネットワークの頭文字"C"と車輪をイメージする円の中に、広島の5路線のシンボルカラーを組み合わせた。

性能
車両情報制御システムや運転支援装置、車両異常挙動検知システムなどのハイテク設備が整っている。

広島地区にJRとなって初めての新型車両として登場した。225系を基本に、車内は転換クロスシートとロングシートによるセミクロス。車内や外観は、広島東洋カープや厳島など広島らしさを象徴する「赤色」がメーン。

走行地域

動力 電気　両数 3両

車両おもしろポイント
前面や側面のLED表示には、セ・リーグの球団である広島東洋カープが優勝したときなどに、球団のマスコット「カープ坊や」が表示されることもある。

223

JR西日本 — 115系

昔ながらの湘南電車が健在

〈おもな路線〉
山陽本線、赤穂線、伯備線

普通列車

最高時速 100km　定員 178名　レア度 ●●●○○

車両
1976年につくられた車両で、座席の配列も昔のままだ。

車両
全長20mの鋼製で、3扉車だ。

デザイン
緑2号と黄かん色の湘南色の原形で走っている。

東海道本線を走っていた80系電車がこの塗装だった。そのため"湘南電車"と呼ばれ、その後153系や111系などを経て、その愛称をうけつぐ伝統ある電車だ。そのほかの塗装をした115系は西日本各地で走っている。

走行地域

動力 電気　両数 3両

車両ざんねんポイント
かつては日本のほとんどの直流区間で走っていた湘南色の115系。今では多くが廃車や色がぬりかえられ、岡山と新潟周辺でしか見ることができない。

JR西日本 荷物電車の改造車
123系

普通列車

〈おもな路線〉
宇部線、小野田線、山陽本線

最高時速 100km　定員 48名　レア度 ●●●○

デザイン
広島地区を走る電車は、新車以外は全て「濃黄色」の一色。瀬戸内地方の豊かな海に反射する太陽の光をイメージしている。

車両
荷物車の改造のため乗降扉や窓の配置が普通の列車とちがう。

車両
105系などほかの車両との連結を考え、全ての車両に貫通扉がついている。

JRの前身の国鉄が小荷物などの輸送をやめたため、余った荷物電車を旅客車に改造した。合計13両がつくられ、JR東日本の中央本線やJR東海の身延線などで活やく。現在は5両だけ宇部線や小野田線などで走っている。

走行地域

動力 電気　両数 3両

車両おもしろポイント
小野田線の雀田駅は、ホームが扇形をしためずらしい駅。全国でも富山地方鉄道の寺田駅や鶴見線の浅野駅などがあるが、ホームがひとつの駅はここだけ。

225

JR西日本 / 普通列車

ディーゼル線区の標準形
キハ120系

〈おもな路線〉
芸備線、姫新線、山陰本線、美祢線

最高時速 95km ｜ 定員 49名 ｜ レア度 ●●○

デザイン
青むらさきと青のラインは広島色。芸備線の備後落合より西の区間と福塩線などで見られる。

性能
0番台は写真の300番台とともに330馬力だ。

デザイン
関西本線亀山〜加茂間を走る車両はむらさき系、左の写真の山陰本線出雲市〜浜田間を走る車両は赤、水色、青の3色のラインだ。

JR西日本のローカル線で活やくする小型ディーゼルカー。1991年にJR西日本が初めてつくった気動車だ。座席は0番台はロングシートで、200番台と300番台がセミクロスシート。各路線ごとに色がちがう。

走行地域

動力 ディーゼル
両数 1両

車両ざんねんポイント
越美北線と木次線を走る200番台は、朱色5号の首都圏色。首都圏色は国鉄の気動車の色なのだが、JRになったあとにできた車両がこの色で走っている。

JR四国 5000系

2階建てグリーン車で海上散歩

〈おもな路線〉
宇野線、本四備讃線、予讃線

- 最高時速 130km
- 定員 178名
- レア度 ●

デザイン
2階建て車の側面は、車両によってラインの色がちがう。

車両
高松側の先頭車は、2階建てのダブルデッカー車。

パノラマシート
2階建て車両の先頭部は「パノラマシート」。海の上を走るようすが見られてスリル満点。

岡山から瀬戸大橋を通って高松を結ぶ快速「マリンライナー」の専用車両。1号車は、1階がグリーン車、1階が指定席車。2号車と3号車は自由席車だ。多くは4、5号車にJR西日本の223系5000番台を2両連結して走っている。

走行地域

- 動力 電気
- 両数 3両

車両ざんねんポイント
早朝と深夜の「マリンライナー」には、2階建て車両の連結はなく、1、2、3、73、77号は223系2両での運転だ。「パノラマシート」に乗りたいときは要注意だ。

227

7200系

JR四国 ただひとつのefWING台車

普通列車

〈おもな路線〉
予讃線、土讃線

最高時速 110km ／ 定員 104名 ／ レア度

性能
新型台車「efWING」。ほかの台車とちがう、めずらしい形。

デザイン
121系と見分けるために、赤いラインの下に白をはさみ、エコロジーを表す緑色のラインを引いている。

ロゴマーク
前面と側面に「eco 7200 series train」と記されている。

高松地区の電化区間を走る121系をリニューアル。VVVFインバータ制御になったほか、車内はクロスシートを増やし、車いすのスペースなどのバリアフリーにも対応。最大のちがいは台車に「efWING」を採用したことだ。

走行地域

動力 電気 ／ 両数 2両

車両おもしろポイント
「efWING」は、台車のフレームの一部を炭素繊維強化プラスチックにすることで鋼製よりも軽くて強度もあり、乗り心地もよく脱線の危険も少なくなった。

JR四国

普通列車

JR四国のハイテク気動車
1500型

〈おもな路線〉
高徳線、鳴門線、徳島線、牟岐線

最高時速 110km　**定員** 46名　**レア度** ●●○

デザイン
エコを意識して、おもに緑色を多く使っている。

性能
JR初の環境負荷軽減型のエンジンを採用。今までの車両よりも排ガス中の窒素化合物を大はばに減らせた。

車両
片開きの乗降扉が3つあるステンレス車。

環境にこだわってつくられた気動車。車いすでも利用しやすいトイレや、車両の乗降口と駅のホームの段差を小さくするなど、バリアフリー化にも力を入れている。1両でも運転できるよう、車両の両側に運転台がある。

走行地域

動力 ディーゼル
両数 1両

車両おもしろポイント
1500型は各車両にPC装置をつけ、車両間の状態をわかり合えるようになった。タッチパネル式のモニタ装置で、車両の制御を行うなど、ハイテクな車両だ。

229

JR四国
新幹線が四国を走る
キハ32形

〈おもな路線〉
予土線、予讃線、土佐くろしお鉄道中村線

最高時速 85km ／ 定員 37名 ／ レア度 ●●○○

座席 車内の窪川寄りは、0系が登場したときに使われていた転換クロスシート。

デザイン 0系のようなかわいい団子鼻と、窓の青いラインを見ると、新幹線とまちがえそう。

デザイン 宇和島側の先頭部はラッピング。鼻などの立体感を出すために影を描くなど、細かい工夫をしている。

性能 スカートの下には0系の警笛がある。

われら予土線3兄弟

長男 しまんトロッコ

昔から予土線を走っていた元祖トロッコ列車「清流しまんと号」をリニューアル。山吹色の「しまんトロッコ」として生まれかわった。貨車のトロッコに乗れるのはこの列車だけ。

次男 海洋堂ホビートレイン

フィギュアメーカー海洋堂の博物館のオープンをきっかけに登場。「カッパうようよ号」は3代目。

車内ではかっぱの人形と記念写真が撮れる。

三男 鉄道ホビートレイン

車内には四国に関する車両が並んだショーケースや、0系にちなんだグッズがある。

床には1889年、四国で2番目の鉄道会社である讃岐鉄道で活やくしたドイツ製SLの見取図が描かれている。

予土線全線開通40周年と宇和島〜近永間100周年に合わせ、鉄道模型と走るアミューズメントトレインとして登場。初代新幹線の0系に似せた外観がおもしろい。四万十川の渓流沿いをのんびりと走る新幹線に乗りにいこう。

走行地域

動力 ディーゼル
両数 1両

車両おもしろポイント

「鉄道ホビートレイン」が0系に似ているのは形だけではない。警笛は、0系が実際に使っていたものを使用。0系が鳴らしていたのと同じ音が出るのだ。

231

土佐くろしお鉄道
オープンデッキで太平洋を楽しめる
9640形

三セク / 普通列車

〈おもな路線〉
ごめん・なはり線、土讃線

- 最高時速 110km
- 定員 30名
- レア度 ●●○○

車両
海側の両乗降扉の間が窓のないオープンデッキ。

デザイン
クジラをイメージしたような前面で、側面にはごめん・なはり線のキャラクターたちが描かれている。緑色の車両もある。

開放感たっぷりのデッキ。絶景がながめられ、吹き抜ける風が気持ちいい。

潮風を感じながら海岸線の景色を楽しめるオープンデッキの車両で、「しんたろう号」「やたろう号」の愛称がある。船の甲板のように客室から外に出たようなふんいきが味わえ、ジェットコースターなみのスリルだ。

走行地域

- 動力 ディーゼル
- 両数 1両

車両おもしろポイント
愛称の「しんたろう」は安芸(現在の高知県)出身で幕末の志士だった中岡慎太郎から、「やたろう」は安芸出身の三菱財閥を築いた岩崎弥太郎から名付けられた。

広島電鉄 5100形

広島市民の貴重な足

私鉄 7 普通列車

〈おもな路線〉
本線、宇品線、宮島線

| 最高時速 | 60km | 定員 | 56名 | レア度 | ●●○ |

愛称
5000形「グリーンムーバー」をさらに進化させたので「グリーンムーバーマックス」という。

デザイン
丸みのある先頭で、ライトグリーンとホワイトを中心にした、明るくすっきりとした色合い。

性能
路面電車では最大の5両編成だが、2両目と4両目には台車がなく、浮いている。

「グリーンムーバー」はドイツ製だったので、国産で5連接の超低床車をつくろうと登場した車両。車内の通路のはばも広がり座席数も増えた。国産なので修理や検査などがスムーズに行えるようになった。

走行地域

動力 電気　両数 5両

車両おもしろポイント
車両が長い「グリーンムーバーマックス」が走行できない路線にも超低床車を走らせようと、1000形「グリーンムーバーLEX」がつくられた。

JR九州 BEC819系

普通列車

非電化区間も走れるDECHA

〈おもな路線〉
筑豊本線、篠栗線、鹿児島本線

最高時速 120km　定員 80名　レア度 ●●○

愛称
「Dual ENergy CHArge train」から「DENCHA」と名付けられた。

デザイン
817系2000番台を手本にした車体で、側面は「地球環境にやさしい」イメージの青色。

性能
直方側の車両の床下には、リチウムイオン電池を3つの列に分けて設置している。

非電化区間では、電化区間やブレーキをかけたときに起きる電力を蓄電池にためた電力で走る、蓄電池電車の交流版。筑豊本線や篠栗線で運転している。車体は817系と同じアルミニウム製のダブルスキン構体を使っている。

走行地域

車両おもしろポイント
現在、男鹿線を走っている交流架線式蓄電池電車EV-E801系は、実はこの「DENCHA」をもとにした車両。雪に強くするなど男鹿線用に改造している。

動力 電気　両数 2両

JR九州

豪華な車内の近郊電車
817系

普通列車

〈おもな路線〉
鹿児島本線、日豊本線、長崎本線

最高時速 120km ｜ 定員 152名 ｜ レア度 ●●○

車両
車両は日立製作所の「A-train」という次世代アルミ車両システムでつくられた。

デザイン
前面は黒く、するどくて力強いイメージ。

マーク
貫通扉と側面にシンボルマークがある。側面のシンボルマークの色は、走っている地域によってちがい、5色ある。

九州各地をさまざまな両数で走る。写真の3000番台は3両編成（2本連結）だが、基本的に2両編成の単位でワンマン運転も可能。車内は座席などに木が使われ、クロスシートの座面やヘッドレストには本革が使われている。

走行地域

動力 電気 ｜ 両数 3両

車両おもしろポイント
車両メーカーは独自の車両をブランド化している。日立製作所ではアルミ車の「A-train」、総合車両製作所ではステンレス車「sustina」などさまざまだ。

235

JR九州

普通列車

地下鉄空港線にも乗り入れる

305系

〈おもな路線〉
筑肥線、唐津線、
福岡市交通局空港線

最高時速 85km ／ 定員 291名 ／ レア度 ●●○

車両
JR九州初の押しボタン式開閉ドア（スマートドア）を採用。

性能
地下鉄線内では自動運転を行うため、ATOを備えている。

車両
地下鉄線内を走るため、全長20mの4扉で両開きの乗降扉にして地下鉄の車両と合わせている。

地下鉄空港線に乗り入れできるよう貫通扉を右端につくり、運転窓を大きくしたのが特ちょう。西唐津側の先頭車のみ床が木のようなつくりで、ドアの窓の下には「あそぼーい！」のキャラクター"くろちゃん"も描かれている。

走行地域

動力 電気 ／ 両数 6両

車両おもしろポイント
305系の走る筑肥線は唐津駅と山本駅との間がつながっておらず、かわりに唐津線が通っている。これは筑肥線を廃止したことによるもので、めずらしい。

236

JR九州 キハ200系

九州各地で活やくする高性能気動車

普通列車

〈おもな路線〉
指宿枕崎線、久大本線、豊肥本線

最高時速 110km　定員 108名　レア度 ●●○

性能
450馬力の大出力エンジンで、最高時速は110km。

デザイン
指宿枕崎線を走る車両は黄色。前面と側面に錦江湾と桜島をイメージしたロゴマークがあるほか、側面には「NANOHANA」のロゴも入っている

車両
鋼製の20m車で車両の片方にしか運転台がなく、両開きの扉が片側に3つある。

電車並みの性能がある快速用の気動車としてデビュー。座席は転換クロスシートだったが、ロングシートの車両も登場した。基本的にトイレありとなしの車両2両でコンビを組み、さまざまな塗装で運転している。

走行地域

動力 ディーゼル
両数 2両

車両ざんねんポイント
キハ200系は真っ赤な車両で「赤い快速」と呼ばれて人気があったが、ブルーやイエローと色の種類が増え、今では「赤い快速」と呼ばれなくなった。

237

西日本鉄道

7 私鉄 普通列車

ロイヤルレッドの新形式
9000形

〈おもな路線〉
天神大牟田線

最高時速 110km　定員 128名　レア度 ●○○

デザイン
前面はたてのラインを強調したデザイン。「ロイヤルレッド」の面積が広いので、西鉄の車両ではないみたいだ。

性能
前面や側面の行き先表示器はフルカラーLEDで、4か国語で表示される。

座席
ロングシートの座席はバケットタイプ。シートのはばはひとりあたり470mmで西鉄最大。

天神大牟田線などで走っている5000形と入れかえるために登場。炭化ケイ素を使用した新型のVVVFインバータを取り入れ、全ての照明をLEDにすることで5000形よりも約50％の省エネルギーになっている。

走行地域

動力 電気　両数 3両

車両おもしろポイント
西鉄では以前特急として走っていた車両をリニューアルし、太宰府観光列車「旅人」と柳川観光列車「水都」を走らせている。普通列車で運賃のみで乗れる。

長崎電気軌道

私鉄 7 普通列車

日本最古の木造ボギー車
160形

〈おもな路線〉
本線、赤迫支線、蛍茶屋支線

最高時速 40km ／ 定員 38名 ／ レア度 ●●●●○

車両
車体は木でできていて、とても貴重。台車は1つの台車に2本の車軸がある2軸のボギー車だ。

性能
架線から電気を受け取るのはビューゲルという装置。パンタグラフではない。

車両
屋根には車内に光をとりいれるための採光窓があるダブルルーフ構造。

1911年、現在の西日本鉄道である九州電気軌道から23号としてデビュー。その後、福岡市内線へうつり、1959年から長崎電気軌道で168号として活やく。つくられてから約110年も経つ、日本で最古の2軸のボギー車だ。

走行地域

動力 電気 ／ 両数 1両

車両ざんねんポイント
168号は通常の営業運転はできず、イベントのときや団体が貸し切るときなど、限定的に走る。運行情報は長崎電気軌道の公式ホームページで確認しよう。

239

熊本電気鉄道
2両で走る東京メトロ銀座線
01形

私鉄 7
普通列車

〈おもな路線〉
菊池線、藤崎線

最高時速 50km　定員 65名　レア度 ●●○

車両
銀座線は第3軌条だったが、熊本にきてシングルアームが取りつけられた。

性能
台車は川崎重工業が開発したｅｆＷＩＮＧを日本で初めて採用した。

デザイン
見た目はもとの01系とほとんどかわらない。形式は東京メトロ時代とは漢字がかわり01形となった。

東京メトロ銀座線で走っていた01系の2編成4両をゆずりうけ、熊本電鉄バージョンに改造して走らせている。集電方式がちがうため屋根の上にパンタグラフを取りつけ、レールのはばもちがうので台車も交換した。

走行地域

動力 電気　両数 2両

車両おもしろポイント
熊本電鉄には東京都交通局の地下鉄三田線を走っていた元6000形も運行している。東京の地下鉄を走っていた車両どうしが九州の熊本で再会した。

福岡市交通局 博多の地下を走るグリーンのリニア
3000系

普通列車

〈おもな路線〉
七隈線

| 最高時速 | 70km | 定員 | 378名 | レア度 | ●●○ |

性能
九州初の鉄輪式リニアモーターシステムを採用。

車両
ATOを搭載し、ワンマンによる自動運転。

デザイン
ドイツの工業デザイナー、アレクサンダー・ノイマイスターのデザイン。

福岡市交通局の七隈線を走る車両。車体には沿線の地域の山々を表現した緑色と、川の流れを表現した水色のラインが入っている。シートは七隈線の色である緑色で、連結部にはガラスを使用して明るく広々とした車内だ。

走行地域

動力 電気　両数 4両

車両おもしろポイント
日本の鉄道車両の運転席は多くが左側だが、3000系は右側。乗客が乗り降りするホームが必ず右側なので、運転士が安全確認しやすいというのが理由だ。

241

これが鉄道の仕事だ！

鉄道を安全で正確に動かすために、多くの人たちがはたらいている。
その一部をしょうかいしよう。

運転士

運転士の仕事は、安全に乗客を目的地まで運ぶことだ。安全運転のために、さまざまな準備をしている。まずは、その日に運転する列車の時刻がわかる乗務表を確認。運転士用の時計の時刻を合わせ、アルコール検査後、業務点呼などをしてから、列車に乗り込む。信号や停車位置などを指差し確認しながら、しっかり運転する。

車掌

車内放送や、停車中のドアの開けしめ、車内の温度管理などを行い、乗客が快適に電車に乗れるようにするのが、車掌の仕事だ。列車が駅を出発するときは、ホームにいる人の安全確認をして、運転士に出発の合図を出す。また、地震などが起きたときには、避難の誘導もする。車掌は列車のいちばんうしろに乗っていることが多い。

運行管理

運行管理は、鉄道会社のビル内の運転指令所で指令員が行う。列車のおくれや急病人、天気や地震・火災などの情報を集め、安全に時刻どおり運行できるよう、指示するのが役目だ。

駅長

駅長は、駅の全ての仕事の責任者だ。駅員に指示を出したり、乗客の手助けをしたりする。こみあう時間は、駅長も駅員の手伝いをする。小さな駅では駅長がそうじをすることもある。

客室乗務員

運行中の車内で、飲み物やべんとう、みやげなどをワゴンに乗せて売る。通路での仕事なので、すばやく、飲み物をこぼしたり、お金にまちがいがないように気をつける。また、車内で乗客の応対もする。

243

架線の点検・修理

トロリー線
軌陸車

電車は「架線」から電気を取り込んで動く。2本ある電線のうち、下のトロリー線という電線から、車体の上にある「パンタグラフ」で電気をとりこむ。軌陸車という、道路も線路も走れる車を利用して、架線の点検や修理を行う。

車両の点検・整備

ふだん行う車庫での点検のほか、定期的に車両のすみずみを点検し、整備する。写真は、架線から電車に電気を流す「パンタグラフ」の点検をしているところ。

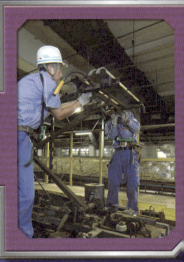

保線

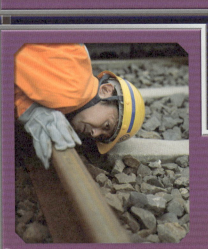

線路がすりへったり曲がったりしていないか点検し、整備することを「保線」という。すりへった線路は、切断して交換する。線路の下のバラスト(くだいた石)の交換なども行い、安全を守る。

第5章 その他の列車

貨物列車やモノレールなど、
さまざまな種類の鉄道を紹介するぞ！

M250系

JR貨物 / その他

日本の物流を支える貨物電車

- 最高時速 130km
- 出力 3520kW
- レア度 ●●●●○

愛称
「スーパーレールカーゴ」と呼ばれている。

車両
先頭と最後尾の2両ずつが電動車で、あとは動力を持たない。

コンテナの移動
トップリフターでコンテナを持ち上げる。
トラックに積みかえる。トラックは最寄りの営業所までコンテナを運ぶ。

JR貨物と佐川急便が共同で開発した、貨物を運ぶための日本でただひとつの電車。佐川急便のコンテナを運ぶ専用列車として走る。16両編成でコンテナは28個積むことができ、往復で10トントラック56台分の貨物を運べる。

走行地域
東京貨物ターミナル〜安治川口

動力 電気　両数 16両

車両おもしろポイント
鉄道は自動車よりも環境にやさしいので、最近は、福山通運やトヨタ自動車など、貨物の輸送をJR貨物と共同で行う会社が増えてきている。

JR貨物 — 東海道山陽区間の主力機
EF210形

- 最高時速: 110km
- 出力: 3390kW
- レア度: ●●
- 動力: 電気

多くの車両が岡山機関区に所属していることから「ECO-POWER 桃太郎」という愛称で呼ばれている直流電気機関車。愛称がついた機関車はJRで初めてだ。東北本線や高崎線のほか、四国も走る。

JR貨物 — ディーゼル機関車の決定版
DF200形

- 最高時速: 110km
- 出力: 1920kW
- レア度: ●
- 動力: ディーゼル

電気式のディーゼル機関車。おもに北海道で走っているが、関西本線や「ななつ星 in 九州」の専用機関車としても活やくしている。愛称は「ECO-POWER レッドベア」。

247

JR東海
2027年に開業予定のリニアモーターカー
L0系

その他

最高時速 505km※　**レア度** ●●●●●

車両
超電導コイルを−269℃にまで冷やすために、液体ヘリウムが入っている。

性能
車両の超電導磁石とガイドウェイ（軌道）にあるコイルとの間で磁力がはたらき、地面から約10cm浮いて走る。

2027年の開業をめざして山梨県で実験をくり返している。特別な金属を1000回以上巻いたコイルを−269℃まで冷やし、電流を流すと強力な磁力を持つ超電導磁石になる。最高時速500km以上で走ることができる。

走行地域 未定※

動力 磁力

車両おもしろポイント
ガイドウェイには、車両を前に進めるための電磁石にする推進コイルと、車両を浮かしてガイドウェイの中央を走らせるための浮上・案内コイルがある。

※2027年に東京都と名古屋市を結ぶ路線を開業予定。最高時速は開業時の予定最高速度。

超電導リニアのしくみ

引きあう

反発しあう

車体と線路に埋めこまれたコイルが超電導磁石になると、引きあう力と反発しあう力が発生して、浮いたり進んだりすることができる。

車両
およそ時速150kmまでは浮かないので、専用のタイヤで走る。

東京モノレール

羽田空港までもすばやく行ける
1000形

私鉄その他

モノレールは図のように、レールにぶら下がって進む懸垂式（左）と、またがって進む跨座式（右）がある。走行車輪と案内車輪を使って高い場所にある専用のレールを走る。

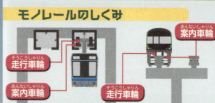
モノレールのしくみ
案内車輪／走行車輪／案内車輪／走行車輪

走行距離 17.8km
座席数 456席

都心と羽田空港を最高時速80kmで結ぶモノレール。各駅停車のほか、「空港快速」や「区間快速」などの列車も運転されている。空港を利用する人のために、車内には大きな荷物が置けるスペースもある。

走行地域

動力 電気　両数 6両

車両おもしろポイント
レールが1本（モノ）しかないのでモノレールと呼ばれている。東京都北区にある「アスカルゴ」や、広島市の「スカイレール」などもこのなかまだ。

| ゆりかもめ | 三セクその他 |

タイヤがゴムでできている新交通システム
7300系

新交通システムのしくみ

- 電車線
- 案内車輪
- 走行車輪

新交通システムもモノレールと似たつくりをしている。電車線から電気をとりこみ、走行車輪と案内車輪を使って、専用の軌道を自動運転で走っている。自動運転の場合は、別の場所にある中央司令所で運転を管理している。

- 走行距離　14.7km
- 定員　306名

「ゆりかもめ」は会社名で、正式な路線名は東京臨海新交通臨海線。レインボーブリッジをわたり、お台場やビッグサイトなどを通って豊洲までを結んでいる。ゴムタイヤ式の車両で走る、新交通システムだ。

走行地域

- 動力　電気
- 両数　6両

車両おもしろポイント

おもに高いところにある専用軌道を、ゴムタイヤの車両が走っている。多くの会社で自動列車運転装置(ATO)を採用し、無人運転を行う路線も多い。

251

高低差が日本一のロープウェイ
中央アルプス駒ヶ岳ロープウェイ

走行距離 2334m　座席数 4席

950mという、日本でいちばん高低差があるロープウェイ。終点の千畳敷駅の標高は2611.5mで、これは日本の鉄道の駅としてはもっとも高い位置にある。

1918年開業の日本最古のケーブルカー
生駒ケーブル

宝山寺1号線には犬の形の「ブル」と猫の形の「ミケ」が走っている。山上線にはオルガン型の「ドレミ」とケーキ型の「スイート」もある。

走行距離 900m　座席数 80席

西武鉄道
レールのゆがみを直す保線車両
マルチプルタイダンパー

ゆがんでしまったレールを直す車両。レールを枕木ごと持ち上げ、金属の爪のようなものでバラストを突き刺しながら固めていく。1時間に300〜500mのレールを直すことができる。

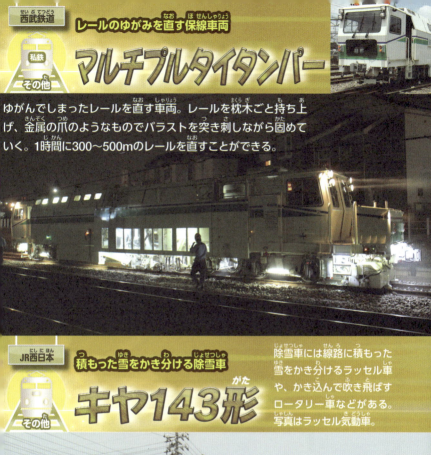

JR西日本
積もった雪をかき分ける除雪車
キヤ143形

除雪車には線路に積もった雪をかき分けるラッセル車や、かき込んで吹き飛ばすロータリー車などがある。写真はラッセル気動車。

知っておきたい鉄道豆知識　乗り鉄編

◆青春18きっぷ

1回使うことで、1日中JRの列車に乗り放題できるきっぷです。1枚のきっぷで5回まで使うことができるので、ひとりで5日間連続で使ったり、5人で1日だけ使ったり、さまざまな使い方で鉄道旅行ができます。発売・利用できる期間が限定されていることと、一部を除いて特急列車などには乗れないことは注意が必要です。

青春18きっぷ

◆時刻表

さまざまな会社から出版されている、全国の鉄道の運行情報が載った書籍です。スマートフォンを使えば出発地〜目的地の路線検索ができる便利な時代ですが、時刻表ではより詳しい運行情報を調べられます。路線の各駅に停車する時間や、やって来る列車が一覧でき「この時間にこの場所をこの列車が通る！」という情報がわかるため、鉄道写真を撮るときにも便利です。

さまざまな時刻表

◆時刻表の見方

細かな見方は時刻表によってちがいますが、大まかには一緒です。駅名が左の列、列車名が上の列に書いてあり、その交わるところに書かれた数字が、その駅に列車が発着する時刻を表しています。

知っておきたい鉄道豆知識　撮り鉄編

◆鉄道写真の種類

鉄道写真は大まかに3つのタイプがあります。1つ目は、図鑑などでよく見る列車全体を大きく撮影した編成写真。列車全体をバランスよく画面におさめることがポイントです。2つ目は、その列車が走る地域のきれいな風景と列車を撮影した風景写真。その地域の特色がよくわかる写真がよいでしょう。3つ目は鉄道に関するものを撮影したスナップ写真。駅、線路、踏切など、自由な発想で撮影すると楽しいです。マナーを守って楽しく撮影しましょう。

列車が画面の端からはみ出るぎりぎりをねらうのが、編成写真の基本だ。

いまいち…

バッチリ!!
編成写真

風景写真

スナップ写真

◆鉄道写真を撮るときの基本

[下調べをする]　[構図を決める]　[カメラを設定]　**撮影開始**

撮影する列車や場所を決めて、インターネットや時刻表などで情報を集める。

現地に着いたら列車が走る方向を確認。どの位置から撮るかを決める。

スポーツモードなどの速いものを撮る設定に合わせて、カメラを準備する。

お目当ての列車がうまく撮れるまで、何度も撮影しよう！

255

著者紹介　山﨑友也（やまさきゆうや）

　鉄道写真家。1970年広島市生まれ。日本大学芸術学部写真学科卒。鉄道写真の専門家集団「(有)レイルマンフォトオフィス」代表。独自の視点から鉄道写真を多彩に表現し、出版や広告、TV出演など幅広い分野で活躍中。
　写真集に「Memories ～車両のない鐵道写真～」(日本写真企画)、「魅惑の夜感鉄道」(クラッセ)、著作、監修に「あつまれ！でんしゃだいしゅうごう」「はやいぞ！しんかんせん」(永岡書店)、「move鉄道」「親子で楽しむ 鉄道体験大百科」(講談社)、「日本一周！鉄道大百科」「新幹線大集合！スーパー大百科」(成美堂出版)、「ドラマチック 鉄道写真塾」(洋泉社)、「僕はこうして鉄道カメラマンになった」(クラッセ)など多数。
　その他に「JR東日本カレンダー」、「西武鉄道カレンダー」や「青春18きっぷ」のポスターをてがけるほか、JR西日本「TWILIGHT EXPRESS 瑞風」、「京都鉄道博物館」のオフィシャルカメラマンも務めている。

写真	(有)レイルマンフォトオフィス
	（山﨑友也、山下大祐、杉山慧）
写真協力	仲井裕一、窪田稔、堀内敦彦、峯浦憲光
	中央アルプス観光、長崎電気軌道、日本通運、PIXTA
装幀	高垣智彦（かわうそ部長）
本文デザイン	クリエイティブセンター広研
編集・DTP	オフィス303

日本全国　鉄道超完全図鑑

著者	山﨑友也	DTP	編集室クルー
		印刷	誠宏印刷
発行者	永岡純一	製本	大和製本
発行所	株式会社永岡書店		
〒176-8518	東京都練馬区豊玉上1-7-14	ISBN978-4-522-43631-8 C8076 ①
電話	03-3992-5155（代表）	乱丁本・落丁本はお取り替えいたします。
	03-3992-7191（編集）	本書の無断転載・複製・転載を禁じます。